August Strindberg

FADREN
FRÖKEN JULIE

August Strindberg

FADREN
FRÖKEN JULIE

NoK
pocket

© Bokförlaget Natur och Kultur, Stockholm
Omslag Olle Frankzén
Femte tryckningen
Tryck Norhaven A/S, Danmark 1995

ISBN 91-27-05225-7

FADREN

Sorgespel i tre akter

ROLLER

RYTTMÄSTARN

LAURA, hans hustru

BERTHA, deras dotter

DOKTOR ÖSTERMARK

PASTORN

AMMAN

NÖJD

KALFAKTORN

Första akten

Ett vardagsrum hos Ryttmästarn. Dörr i fonden åt höger. Mitt på golvet stort, runt bord med tidningar och tidskrifter. Till höger en skinnsoffa och bord. I högra hörnet en tapetdörr. Vänster chiffonjé med pendyl; dörr till våningen. Vapen på väggarne: gevär och jaktväskor. Klädhängare vid dörren med uniformsrockar. På stora bordet brinner en lampa.

FÖRSTA SCENEN

Ryttmästarn och Pastorn i skinnsoffan. Ryttmästarn i släpuniform och ridstövlar med sporrar. Pastorn svartklädd, med vit halsduk, utan prästkragar; röker pipa.

Ryttmästarn ringer.

Kalfaktorn Vad befaller herr ryttmästarn?

Ryttmästarn Är Nöjd därute?

Kalfaktorn Nöjd väntar på order i köket.

Ryttmästarn Är han i köket igen! Släpp in honom genast!

Kalfaktorn Skall ske herr ryttmästare. *(Går.)*

Pastorn Vad har du nu för spektakel?

Ryttmästarn Å den lymmeln har varit sta igen med pigan. Den är alldeles förbannad, den karlen!

Pastorn Är det Nöjden? Han var ju framme i förrårs också!

Ryttmästarn Ja, du minns det! Men vill du inte vara snäll och säga honom några vänliga ord, så kanske det tar bättre. Jag har svurit över honom och jag har klått honom också, men det biter inte.

Pastorn Nå, så vill du jag ska läsa över honom. Vad tror du Guds ord tar på en kavallerist.

Ryttmästarn Ja, svåger, inte biter det på mig, det vet du . . .

Pastorn Det vet jag nog!

Ryttmästarn Men på honom! Försök i alla fall.

ANDRA SCENEN

De förre. Nöjd.

Ryttmästarn Vad har du nu gjort, Nöjd?

Nöjd Gud bevare herr ryttmästarn, det kan jag inte säga, när pastorn är inne.

Pastorn Genera dig inte du, min gosse!

Ryttmästarn Bekänn nu, annars vet du hur det går.

Nöjd Jo, se, det var så, att vi va på dans hos Gabriel, och så, och så sa Ludvig . . .

Ryttmästarn Vad har Ludvig med den saken att göra? Håll dig till sanningen.

Nöjd Jo, och så sa Emma att vi skulle gå till logen.

Ryttmästarn Jaså, det var kanske Emma som förledde

8

dig?

Nöjd Ja, inte var det långt ifrån. Och det ska jag säga, att om inte flickan vill, så blir det ingenting av.

Ryttmästarn Kort och gott: är du far till barnet eller inte?

Nöjd Hur ska en kunna veta det?

Ryttmästarn Vad för slag? Kan du inte veta det?

Nöjd Nej, si det kan en då aldrig veta.

Ryttmästarn Var du inte ensam då?

Nöjd Jo den gången, men inte kan en veta om en är ensam för det?

Ryttmästarn Vill du skylla på Ludvig då? Är det din mening?

Nöjd Det är inte gott att veta vem en ska skylla på.

Ryttmästarn Ja, men du har sagt åt Emma att du vill gifta dig med henne.

Nöjd Ja, se det får en alltid lov att säga . . .

Ryttmästarn (till Pastorn) Det är ju förfärligt!

Pastorn Gamla historier det där! Men hör du Nöjd, du ska väl ändå vara så karl att du vet om du är fadren?

Nöjd Ja, nog var jag sta, men det vet väl pastorn med sig själv, att det inte behöver bli något för det!

Pastorn Hör du min gosse, det är fråga om dig nu! Och du vill väl inte lämna flickan ensam med barnet! Att gifta dig kan väl inte bli tvång, men du ska ta hand om barnet! Det ska du!

Nöjd Ja, men då ska Ludvig vara med.

Ryttmästarn Då får saken gå till tinget. Jag kan inte

reda i det här, och det roar mig verkligen inte heller. Se så, marsch!

Pastorn Nöjd! Ett ord! Hm! Tycker du inte att det är ohederligt att lämna en flicka så där på bar backe med ett barn? Tycker du inte det? Va! Anser du inte att ett sådant handlingssätt ... hm, hm! ...

Nöjd Jo, se om jag visste att jag vore far till barnet, men se det kan en aldrig veta, herr pastorn. Och gå hela sitt liv och släpa för andras barn är inte roligt! Det kan ju herr pastorn och herr ryttmästarn förstå själva!

Ryttmästarn Marsch!

Nöjd Gud bevare herr ryttmästaren! *(Går.)*

Ryttmästarn Men gå inte i köket nu din lymmel!

TREDJE SCENEN

Ryttmästaren och Pastorn.

Ryttmästarn Nå, varför trumfa du inte på honom!

Pastorn Vad för något? Gav jag honom inte?

Ryttmästarn Äh, du satt bara och muttra för dig själv!

Pastorn Uppriktigt sagt, så vet jag inte vad jag ska säga. Det är synd om flickan, ja; det är synd om pojken, ja. För, tänk om han inte vore fadren! Flickan kan amma in barnet fyra månader på barnhuset, så är barnet försörjt för allan tid, men pojken kan inte amma han. Flickan får en bra plats efteråt i något bättre hus, men pojkens framtid kan vara förstörd, om han får avsked från regementet.

Ryttmästarn   Ja min själ jag ville vara i häradshöv-
dingens kläder och döma i det här målet. Pojken
är nog inte så oskyldig, det kan man inte veta, men
ett kan man veta: och det är att flickan är skyldig, om
nu det skall vara någon skuld.

Pastorn   Ja, ja! Jag dömer ingen! Men vad var det vi
talade om, när den här välsignade historien kom
emellan. Det var om Bertha och konfirmationen, så
var det?

Ryttmästarn   Ja det var väl icke så egentligen om kon-
firmationen, utan om hela hennes uppfostran. Här är
huset fullt med kvinnor, som alla vilja uppfostra mitt
barn. Svärmor vill göra henne till spiritist; Laura vill
ha henne till artist; guvernanten vill göra henne till
metodist; gamla Margret vill ha henne till baptist; och
pigorna till frälsningsarmén. Det går naturligtvis inte
an att lappa ihop en själ på det sättet, helst jag, som
äger första rätten att leda hennes naturell, oupphörligt
motarbetas i mina bemödanden. Jag måste därför ha
ut henne ur detta hem.

Pastorn   Du har för mycket kvinnor, som regera i ditt
hus.

Ryttmästarn   Ja, har jag inte det! Det är som att gå in
i buren till tigrarna, och höll jag inte mina järn röda
under näsan på dem, så skulle de riva ner mig vilken
stund som helst! Ja du skrattar du, din skälm. Det
var inte nog att jag tog din syster till hustru, utan du
narrade också på mig din gamla styvmor.

Pastorn   Nå herre Gud, man ska inte ha styvmödrar i

sitt hus.

Ryttmästarn Nej, men svärmödrar tycker du är bättre att ha i rum, hos andra nämligen.

Pastorn Ja ja, var och en har fått sin lott här i livet.

Ryttmästarn Ja, men jag har bestämt fått för mycket. Jag har ju min gamla amma också, som behandlar mig som om jag skulle bära haklapp ännu. Hon är mycket snäll, gubevars, men hon hör inte hit!

Pastorn Du ska hålla reda på kvinnfolkena, svåger; du låter dem regera alldeles för mycket.

Ryttmästarn Hör du, min bror, vill du upplysa mig om hur det går till att hålla reda på fruntimmer.

Pastorn Strängt taget, så var Laura, det är min egen syster, men hon var allt litet krånglig.

Ryttmästarn Laura har nog sina sidor, men med henne är det icke så farligt.

Pastorn Å, sjung ut, jag känner henne.

Ryttmästarn Hon har fått en romantisk uppfostran och har lite svårt att finna sig, men hon är i alla fall min hustru . . .

Pastorn Och därför att hon är din hustru, så är hon den bästa. Nej, du svåger, det är allt hon som klämmer efter dig mest.

Ryttmästarn Emellertid, så, nu är det på tok med hela huset. Laura vill inte släppa Bertha ifrån sig, och jag kan inte låta henne stanna i detta dårhus!

Pastorn Såå, Laura vill inte; ja vet du, då fruktar jag något svårt. När hon var barn, brukade hon ligga som en död, ända tills hon fick sin vilja fram, och när hon fått vad hon velat, lämnade hon det tillbaka, om det var en sak, med den förklaringen, att det icke var saken hon ville, utan att få sin vilja fram.

Ryttmästarn Jaså, hon var så då redan. Hm! Hon har verkligen sådana passioner ibland, att jag är rädd för henne och tror att hon är sjuk.

Pastorn Men vad är det nu du vill med Bertha, som är så oförsonligt? Kan man inte jämka?

Ryttmästarn Du må inte tro att jag vill göra henne till något underbarn eller någon avbild av mig själv. Jag vill icke vara kopplare åt min dotter och uppföda henne uteslutande till äktenskap, ty blir hon gående ogift, så får hon bittra dagar. Men jag vill å andra sidan inte leda henne in på en manlig bana, som tar lång utbildningstid och vars förarbete kan vara alldeles bortkastat, i den händelse att hon skulle vilja gifta sig.

Pastorn Hur vill du då?

Ryttmästarn Jag vill att hon skall bli lärarinna. Förblir hon ogift, så försörjer hon sig och har inte tyngre än de stackars lärarne, som skola dela sin lön med familj. Gifter hon sig, så kan hon använda sina kunskaper på sina barns uppfostran. Är det rätt tänkt?

Pastorn Det är rätt! Men har hon å andra sidan visat sådana anlag för målning att det vore våld på naturen att undertrycka dem?

Ryttmästarn Nej! Jag har visat hennes prov för en framstående målare, och han säger att det bara är sådant, som man kan lära sig i skolorna. Men så kommer det en ung glop hit i somras, som förstod saken bättre, och säger att det var kolossala anlag, och därmed var saken avgjord till Lauras förmån.

Pastorn Var han kär i flickan?

Ryttmästarn Det tar jag för alldeles givet!

Pastorn Gud vare med dig då min gosse, för då ser jag ingen hjälp. Men det här är tråkigt, och Laura har parti naturligtvis . . . därinne.

Ryttmästarn Jo, det kan du lita på! Det står redan i ljusan låga hela huset, och oss emellan, det är inte någon precis så nobel strid det förs från det hållet.

Pastorn (reser sig) Tror du inte jag känner till det?

Ryttmästarn Du också?

Pastorn Också?

Ryttmästarn Men det värsta är, att det förefaller mig, som om Berthas bana, därinne, bestämdes av några hatfulla motiv. De kasta ord om att mannen skall få se, att kvinnan kan det och kan det. Det är mannen och kvinnan mot varandra oupphörligt, hela dan. — Ska du gå nu? Nej, stanna nu till kvällen. Jag har visst inte något att bjuda på, men i alla fall; du vet att jag väntar nya doktorn hit. Har du sett honom?

Pastorn Jag såg en skymt av honom, när jag for förbi. Han såg hygglig och reell ut.

Ryttmästarn Såå, det var gott. Tror du det kan bli en bundsförvant åt mig?

Pastorn Vem vet? Det beror på huru mycket han varit med kvinnor.

Ryttmästarn Nej, men vill du inte stanna?

14

Pastorn Nej tack, kära du, jag har lovat komma hem till kvällen, och gumman blir så orolig, om jag dröjer.

Ryttmästarn Orolig? Ond ska du säga! Nå, som du vill. Får jag hjälpa dig med pälsen.

Pastorn Det är visst mycket kallt i kväll. Tack ska du ha. Du ska sköta din hälsa, Adolf, du ser så nervös ut!

Ryttmästarn Ser jag nervös ut?

Pastorn Jaa, du är inte riktigt frisk?

Ryttmästarn Har Laura inbillat dig det? Mig har hon nu i tjugo år behandlat som dödskandidat.

Pastorn Laura? Nej, men du gör mig orolig. Sköt om dig! Det är mitt råd! Adjö, min gubbe lilla; men var det inte konfirmationen du ville tala om?

Ryttmästarn Inte alls! Jag försäkrar dig, att den saken får-gå sin gilla gång på det officiella samvetets räkning, för jag är varken något sanningsvittne eller någon martyr. Det ha vi lagt bakom oss. Adjö med dig. Hälsa så mycket!

Pastorn Adjö min bror. Hälsa Laura!

FJÄRDE SCENEN

Ryttmästarn, sedan Laura.

Ryttmästarn (öppnar chiffonjén och sätter sig vid klaffen att räkna) Trettiofyra — nio, fyrtiotre — sju, åtta, femtiosex.

Laura (in från våningen) Vill du vara så god ...

Ryttmästarn Strax! — Sextiosex, sjuttioen, åttiofyra, åttionio, nittiotvå, hundra. Vad var det?

15

Laura   Kanske jag stör.

Ryttmästarn   Inte alls! Hushållspengarne kan jag tro?

Laura   Ja, hushållspengarne.

Ryttmästarn   Lägg räkningarne där, ska jag gå igenom dem.

Laura   Räkningarna?

Ryttmästarn   Ja!

Laura   Ska det nu vara räkningar?

Ryttmästarn   Naturligtvis ska det vara räkningar. Husets ställning är osäker, och i händelse av uppgörelse, måste det finnas räkningar, annars kan man bli straffad som vårdslös gäldenär.

Laura   Om husets ställning är dålig, så är det icke mitt fel.

Ryttmästarn   Det är just vad som skall utrönas genom räkningarne.

Laura   Om arrendatorn icke betalar, så är det inte mitt fel.

Ryttmästarn   Vem rekommenderade arrendatorn på det varmaste? Du! Varför rekommenderade du en — låt oss säga — slarv?

Laura   Varför tog du den slarven då?

Ryttmästarn   Därför att jag inte fick äta i ro, inte sova i ro, inte arbeta i ro, förrän ni fått honom hit. Du ville ha honom, därför att din bror ville bli av med honom, svärmor ville ha honom, därför att jag inte ville ha honom, guvernanten ville ha honom, därför att han var läsare, och gamla Margret, därför att hon känt hans mormor ifrån barndomen. Därför blev han

16

antagen; och hade jag inte tagit honom sutte jag nu på dårhus eller låge jag i familjegraven. Emellertid, här äro hushållspengarne och nålpengarne. Räkningarne kan jag få sedan.

Laura (niger) Tack så mycket! — Håller du också räkning på vad du ger ut utom för hushållet?

Ryttmästarn Det rör inte dig.

Laura Nej det är sant, lika litet som mitt barns uppfostran får röra mig. Ha herrarne fattat sitt beslut nu efter aftonens plenum?

Ryttmästarn Jag hade redan förut fattat mitt beslut, och jag hade därför endast att meddela det åt den enda vän jag och familjen äger tillsammans. Bertha skall inackorderas i stan och reser om fjorton dagar.

Laura Hos vem skall hon inackorderas, om jag får fråga?

Ryttmästarn Hos auditören Sävberg.

Laura Den fritänkarn!

Ryttmästarn Barnen skola uppfostras i fadrens bekännelse, enligt gällande lag.

Laura Och modren har ingenting att bestämma i den frågan.

Ryttmästarn Ingenting alls! Hon har sålt sin förstfödslorätt i laga köp, och avträtt sina rättigheter mot att mannen drager försorg om henne och hennes barn.

Laura Alltså ingen rätt över sitt barn?

Ryttmästarn Nej ingen alls! Har man sålt en vara en gång, så lär man icke få igen den och ändå behålla pengarne.

17

Laura   Men om både fadren och modren skulle till-
sammans besluta . . .

Ryttmästarn   Hur skulle det då gå. Jag vill att hon bor
i stan, du vill att hon bor hemma. Aritmetiska mediet
blev att hon stannade på järnvägsstation, mitt emel-
lan staden och hemmet. Detta är en fråga som icke
kan lösas! Ser du!

Laura   Då måste den brytas! — Vad ville Nöjd här?

Ryttmästarn   Det är min yrkeshemlighet!

Laura   Som hela köket känner.

Ryttmästarn   Gott, då bör du känna den!

Laura   Jag känner den också.

Ryttmästarn   Och har domen redan färdig?

Laura   Den är skriven i lagen!

Ryttmästarn   Det står icke i lagen vem som är barnets
fader.

Laura   Nej, men det brukar man kunna veta.

Ryttmästarn   Klokt folk påstår att sådant kan man
aldrig veta.

Laura   Det var märkvärdigt! Kan man inte veta vem
som är fadren till ett barn?

Ryttmästarn   Nej, det påstås!

Laura   Det var märkvärdigt! Hur kan fadren då ha
sådana rättigheter över hennes barn?

Ryttmästarn   Han har det endast i det fall han åtager
sig skyldigheterna, eller ålägges skyldigheterna. Och
i äktenskapet finns ju inga tvivel om faderskapet.

Laura   Finns det inga tvivel?

Ryttmästarn   Nej, jag hoppas det!

Laura   Nå, i de fall hustrun varit otrogen?

Ryttmästarn   Något sådant fall föreligger inte här! Har du något vidare att fråga om?

Laura   Inte alls!

Ryttmästarn   Då går jag upp på mitt rum, och du kan vara god underrätta mig när doktorn kommer. *(Stänger chiffonjén och reser sig.)*

Laura   Det skall ske!

Ryttmästarn (går genom tapetdörren till höger)   Så fort han kommer, för jag vill inte vara oartig mot honom. Du förstår! *(Går.)*

Laura   Jag förstår!

FEMTE SCENEN

Laura ensam; betraktar sedlarna hon håller i handen.

Svärmodrens röst (inifrån)   Laura!

Laura   Ja!

Svärmodrens röst   Är mitt te färdigt?

Laura (i dörren till våningen)   Det ska strax komma! *(Går mot utgångsdörren i fonden, då Kalfaktorn öppnar och anmäler: Doktor Östermark.)*

Doktorn   Min fru!

Laura (går emot och räcker honom handen)   Välkommen herr doktor! Hjärtligt välkommen till oss. Ryttmästarn är ute, men han kommer strax igen.

Doktorn   Jag ber om ursäkt att jag kommer så sent, men jag har redan varit ute på besök.

Laura Var så god och sitt ner! Var så god!

Doktorn Jag tackar min fru.

Laura Ja, det är rätt sjukligt här på orten för tillfället, men jag hoppas ni skall trivas ändå, och för oss, som sitta i ensamheten på landet, är det av stor vikt att finna en läkare som intresserar sig för sina klienter; och om er, doktor, har jag hört så mycket gott, att jag hoppas det bästa förhållande skall råda oss emellan.

Doktorn Ni är alltför nådig min fru, men jag hoppas å andra sidan för er skull att mina besök icke skola bli alltför ofta av behovet påkallade. Er familj är ju i allmänhet frisk och ...

Laura Ja några akuta sjukdomar ha vi dess bättre icke haft, men det är ändå icke allt som det bör vara.

Doktorn Inte det?

Laura Det är gunås icke så bra, som vi skulle önska det.

Doktorn Å! Ni skrämmer mig!

Laura Det finns förhållanden i en familj, som man tvingas av heder och samvete att fördölja för hela världen ...

Doktorn Utom för läkaren.

Laura Det är därför min smärtsamma plikt att från första ögonblicket säga er hela sanningen.

Doktorn Kan vi inte uppskjuta detta samtal tills jag haft den äran bli föreställd för ryttmästarn?

Laura Nej! Ni måste höra mig först, innan ni ser honom.

Doktorn   Det handlar sålunda om honom?

Laura   Om honom, min stackars älskade man.

Doktorn   Ni gör mig orolig min fru, och jag deltar i er olycka, tro mig!

Laura (tar upp näsduken)   Min man är själssjuk. Nu vet ni allt, och nu får ni döma själv sedan.

Doktorn   Vad säger ni! Jag har med beundran läst ryttmästarens förträffliga avhandlingar i mineralogi, och jag har alltid funnit en klar och stark intelligens.

Laura   Verkligen? Det gläder mig om vi alla hans anhöriga skulle ha misstagit oss.

Doktorn   Men nu kan det inträffa att hans själsliv är stört på andra områden. Berätta!

Laura   Det är det vi frukta också! Ser ni, han har emellanåt de mest bizarra idéer, som han ju såsom lärd kunde få ha för sig, om de icke inverkade störande på hela hans familjs bestånd. Så till exempel har han en vurm att köpa allt möjligt.

Doktorn   Det är betänkligt; men vad köper han?

Laura   Hela kistor med böcker, som han aldrig läser.

Doktorn   Nå, att en lärd köper böcker är ännu icke så farligt.

Laura   Ni tror inte vad jag säger?

Doktorn   Jo, min fru, jag är övertygad att ni tror vad ni säger.

Laura   Men är detta rimligt att en människa kan i ett mikroskop se vad som händer på en annan planet?

Doktorn   Säger han att han kan det?

Laura   Ja, det säger han.

Doktorn   I ett mikroskop?

Laura   I ett mikroskop! Ja!

Doktorn   Detta är betänkligt, om det är så!

Laura   Om det är så! Ni har då intet förtroende till mig, herr doktor, och jag sitter här och inviger er i familjens hemlighet . . .

Doktorn   Se så, min fru, ert förtroende hedrar mig, men jag måste som läkare undersöka, pröva, innan jag dömer. Har ryttmästarn visat några symptomer till nyckfullhet i lynnet, ostadighet i viljan?

Laura   Om han har det? Vi ha varit gifta i tjugo år och han har ännu aldrig fattat ett beslut, utan att överge det.

Doktorn   Är han halsstarrig?

Laura   Han skall alltid ha sin vilja igenom, men när han fått råda, släpper han av alltsammans och ber mig besluta.

Doktorn   Detta är betänkligt och fordrar stark observation. Det är viljan, ser ni, min fru, som är själens ryggrad; blir den sårad, så faller själen sönder.

Laura   Och Gud skall veta att jag fått lära mig gå hans önskningar till mötes under dessa långa prövoår. Å, om ni visste vilket liv jag genomkämpat vid hans sida, om ni visste!

Doktorn   Min fru, er olycka rör mig djupt, och jag lovar er att se till vad som kan göras. Jag beklagar er av hela mitt hjärta och ber er lita på mig oinskränkt. Men efter vad jag hört, skall jag be er om en sak. Undvik att väcka några tankar med starkt intryck

22

hos den sjuke, ty i en mjuk hjärna utvecklas de hastigt och bli lätt monomanier eller fixa idéer. Förstår ni?

Laura Alltså undvika att väcka hans misstänksamhet!

Doktorn Alldeles så! Ty en sjuk kan man inbilla vad som helst, just därför att han är mottaglig för allt.

Laura Så! Då förstår jag! Ja! — Ja! *(Det ringer inifrån våningen.)* Förlåt, min mor har något att säga mig. Ett ögonblick . . . Se där är Adolf . . .

SJÄTTE SCENEN

Doktorn. Ryttmästarn från tapetdörren.

Ryttmästarn Ah, ni är redan här, herr doktor! Hjärtligt välkommen till oss!

Doktorn Herr ryttmästarn! Det är högst angenämt för mig att göra en så berömd vetenskapsmans bekantskap.

Ryttmästarn A, jag ber. Min tjänstgöring tillåter mig inte några djupare forskningar, men jag tror mig ändå vara en upptäckt på spåren.

Doktorn Så!

Ryttmästarn Ser ni jag har underkastat meteorstenar spektralanalys och jag har funnit kol, spår av organiskt liv! Vad säger ni om det?

Doktorn Kan ni se det i mikroskopet?

Ryttmästarn Nej, i spektroskopet för tusan!

Doktorn Spektroskopet! Förlåt! Nå, då kan ni snart säga oss vad som händer på Jupiter!

Ryttmästarn Inte vad som händer, utan vad som hänt. Bara den välsignade bokhandlaren i Paris skickade mig böckerna, men jag tror att alla världens bokhandlare ha sammansvurit sig. Tänk er att på två månader har inte en enda svarat på rekvisitioner, brev eller ovettiga telegram! Jag blir galen av det här, och jag kan inte begripa hur det hänger ihop!

Doktorn A, det är väl vanligt slarv, och ni ska inte ta saken så häftigt.

Ryttmästarn Nå, men för fanken, jag kan inte få min avhandling färdig i tid, och jag vet att man i Berlin arbetar med samma sak. Men det var nu inte det vi skulle tala om! Det var om er. Vill ni bo här, så ha vi en liten våning i flygeln, eller vill ni bo på gamla bostället?

Doktorn Alldeles som ni vill.

Ryttmästarn Nej, som ni vill! Säg nu!

Doktorn Det får ryttmästarn bestämma!

Ryttmästarn Nej, jag bestämmer ingenting. Det är ni som ska säga hur ni vill. Jag vill ingenting. Ingenting alls!

Doktorn Nej, men jag kan inte bestämma ...

Ryttmästarn I Jesu namn svara då, herre, hur ni vill ha det. Jag har ingen vilja i det här fallet, ingen mening, ingen önskan! Är ni en sådan mes, att ni inte vet vad ni vill! Svara, eller jag blir ond!

Doktorn Efter det beror på mig, så bor jag här!

Ryttmästarn Gott! — Tack ska ni ha! — A! — Ursäkta mig doktor, men det finns ingenting som plågar mig

så som att höra människor säga att någonting är lik-
giltigt. *(Ringer.)*

Amman in.

Ryttmästarn   Jaså, det är du, Margret. Hör du min vän,
vet du om flygeln är i ordning åt doktorn?

Amman   Ja, herr ryttmästarn, det är den!

Ryttmästarn   Så! Då ska jag inte uppehålla doktorn,
som kan vara trött. Farväl och välkommen igen; vi
ses i morgon, hoppas jag.

Doktorn   God afton, herr ryttmästare!

Ryttmästarn   Och jag förmodar att min hustru satt er
in i förhållandena något, så att ni vet ungefär huru
landet ligger.

Doktorn   Er förträffliga fru har givit mig vinkar om
ett och annat, som kan vara nödigt för en oinvigd
att veta. God afton, herr ryttmästare.

SJUNDE SCENEN

Ryttmästarn. Amman.

Ryttmästarn   Vad vill du min vän! Är det något?

Amman   Hör nu herr Adolf lilla.

Ryttmästarn   Ja, gamla Margret. Tala du, som är den
enda jag kan höra på, utan att få spasmer.

Amman   Hör nu herr Adolf, skulle han inte kunna
gå halva vägen och komma omsams med frun om den
här historien med barnet. Tänk ändå på en mor...

Ryttmästarn   Tänk på en far, Margret!

Amman   Så, så så! En far har annat än sitt barn, men

25

en mor har bara sitt barn.

Ryttmästarn Just så min gumma. Hon har bara en börda, men jag har tre, och hennes börda bär jag. Tror du icke jag skulle ha haft en annan ställning i livet än en gammal knekts om jag icke haft henne och hennes barn.

Amman Ja, det var inte det jag ville säga.

Ryttmästarn Nej, det tror jag nog, för du ville ha mig till att ha orätt.

Amman Tror inte herr Adolf att jag vill honom väl?

Ryttmästarn Jo, kära vän, jag tror det, men du vet inte vad som är mitt väl. Ser du, det är inte nog för mig att ha givit barnet liv, jag vill också ge det min själ.

Amman Ja, se det där förstår jag inte. Men ändå tycker jag att man skulle kunna komma överens.

Ryttmästarn Du är inte min vän, Margret!

Amman Jag? Å gud så herr Adolf säger. Tror han att jag kan glömma att han var mitt barn, då han var liten.

Ryttmästarn Nå kära du, har jag glömt det? Du har varit som en mor för mig, du har givit mig medhåll hittills, när jag hade alla mot mig, men nu, när det gäller, nu sviker du mig och går över till fienden.

Amman Fienden!

Ryttmästarn Ja, fienden! Du vet nog du hur det är här i huset, du som har sett allt, från början till slut.

Amman Jag har nog sett! Men min gud, ska då två människor pina livet ur varann; två mänskor som eljest äro så goda och vilja alla andra väl. Aldrig är frun så mot mig eller andra ...

Ryttmästarn Bara mot mig, jag vet det. Men nu säger jag dig Margret, om du nu överger mig, så gör du synd. För nu spinnes här omkring mig, och den där doktorn är inte min vän!

Amman Ack, herr Adolf tror alla människor om ont, men ser han, det är därför att han inte har den sanna tron; ja, se så är det.

Ryttmästarn Men du och baptisterna ha funnit den enda riktiga tron. Du är lycklig du!

Amman Ja, inte är jag så olycklig som han, herr Adolf! Böj han sitt hjärta och han skall se att gud ska göra honom lycklig i kärleken till nästan.

Ryttmästarn Det är märkvärdigt, att bara du talar om gud och kärleken, blir din röst så hård och dina ögon så hatfulla. Nej, Margret, du har bestämt inte den sanna tron.

Amman Ja, var stolt han och hård på sin lärdom, det räcker ändå inte långt, när det gäller.

Ryttmästarn Så högmodigt du talar, ödmjuka hjärta. Nog vet jag att lärdom inte hjälper på sådana djur som ni!

Amman Han skulle skämmas! Men gamla Margret, hon håller ändock mest av sin stora, stora gosse, och han kommer nog igen, som det snälla barnet, när det blir urväder.

Ryttmästarn Margret! Förlåt mig, men tro mig, här finns ingen som vill mig väl, mer än du. Hjälp mig, för jag känner att här kommer att hända något. Jag vet inte vad det är, men det är inte riktigt, det som nu tilldrar sig. *(Skrik inifrån våningen.)* Vad är det! Vem är det som skriker!

ÅTTONDE SCENEN

De förre. Bertha in från våningen.

Bertha Pappa, pappa, hjälp mig! Rädda mig!

Ryttmästarn Vad är det, mitt älskade barn! Tala!

Bertha Hjälp mig! Jag tror hon vill göra mig illa!

Ryttmästarn Vem vill göra dig illa? Säg! Säg!

Bertha Mormor! Men det var mitt fel, för jag narrade henne!

Ryttmästarn Tala om!

Bertha Ja, men du får inte säga något! Hör du det, jag ber dig!

Ryttmästarn Nå, men säg då vad det är!

Amman går.

Bertha Jo! Hon brukar, om kvällarna, skruva ner lampan, och så sätter hon mig vid bordet med en penna i hand över ett papper. Och så säger hon att andarne ska skriva.

Ryttmästarn Vad för slag! Och det har du inte talat om för mig!

Bertha Förlåt mig, men jag tordes inte, för mormor säger att andarne hämnas, om man talar om. Och så skriver pennan, men jag vet inte om det är jag. Och ibland går det bra, men ibland kan det inte alls. Och

28

när jag blir trött, så kommer det inte, men då måste det komma ändå. Och i kväll, så tror jag att jag skrev bra, men så sa mormor att det var ur Stagnelius, och att jag narrat henne; och då blev hon så förfärligt ond.

Ryttmästarn Tror du att det finns andar?

Bertha Jag vet inte!

Ryttmästarn Men jag vet att det inte finns!

Bertha Men mormor säger att pappa inte förstår det och att pappa har mycket värre saker, som kan se till andra planeter.

Ryttmästarn Säger hon det! Säger hon det! Vad säger hon mer?

Bertha Hon säger att du inte kan trolla!

Ryttmästarn Det har jag icke heller sagt. Du vet vad meteorstenar äro! Ja, stenar som nedfalla från andra himlakroppar. Dem kan jag undersöka och säga om de innehålla samma ämnen som vår jord. Det är allt vad jag kan se.

Bertha Men mormor säger att det finns saker, som hon kan se, men du inte kan se.

Ryttmästarn Ser du, det ljuger hon!

Bertha Inte ljuger mormor!

Ryttmästarn Varför inte?

Bertha Då ljuger mamma också!

Ryttmästarn Hm!

Bertha Om du säger att mamma ljuger, så tror jag aldrig mer på dig!

Ryttmästarn Jag har inte sagt det, och därför ska du tro mig, när jag säger dig, att ditt bästa, din framtid fordrar att du lämnar detta hem! Vill du det? Vill du komma till stan och lära något nyttigt!

Bertha Ack ja, vad jag vill komma till stan, ut härifrån, vart som helst! Bara jag får se dig ibland, ofta. Å, därinne är alltid så tungt, så hemskt som om det vore en vinternatt, men när du kommer, far, så är det som när man tar ut innanfönstren en vårmorgon!

Ryttmästarn Mitt älskade barn! Mitt kära barn!

Bertha Men, pappa, du skall vara snäll mot mamma, hör du det; hon gråter så ofta!

Ryttmästarn Hm! — Du vill således till stan?

Bertha Ja! Ja!

Ryttmästarn Men om mamma inte vill det?

Bertha Men det måste hon vilja!

Ryttmästarn Men om hon inte vill det?

Bertha Ja, då vet jag inte hur det ska gå! Men hon ska det, hon ska det!

Ryttmästarn Vill du be henne?

Bertha Du ska be henne så vackert, för mig bryr hon sig inte om!

Ryttmästarn Hm! — Nå, om du vill det och jag vill det, och hon inte vill det, hur ska vi göra då?

Bertha Ack, då blir det så krångligt igen! Varför kan ni inte båda ...

NIONDE SCENEN

De förre. Laura.

Laura Jaså, Bertha är där! Då kanske vi kan få höra

30

hennes egen mening, då frågan om hennes öde skall avgöras.

Ryttmästarn Barnet kan väl knappt ha någon grundad mening om huru en ung flickas liv kommer att gestalta sig, vilket vi däremot lättare kunna ungefär beräkna, då vi sett ett stort antal unga flickors liv utveckla sig.

Laura Men efter som vi äro av olika mening, kan ju Bertha få ge utslaget.

Ryttmästarn Nej! Jag låter ingen inkräkta på mina rättigheter, varken kvinnor eller barn. Bertha, lämna oss.

Bertha går ut.

Laura Du fruktade hennes uttalande, emedan du trodde att det skulle bli till min fördel.

Ryttmästarn Jag vet, att hon själv vill ifrån hemmet, men jag vet också, att du äger makt ändra hennes vilja efter behag.

Laura A, är jag så mäktig!

Ryttmästarn Ja, du har en satanisk makt att få igenom din vilja, men det får alltid den som icke skyr medlen. Hur fick du till exempel bort doktor Norling och hur fick du hit den nya?

Laura Ja, hur fick jag det?

Ryttmästarn Du skymfade den förre, så att han gick, och lät din bror skaffa röster åt den här.

Laura Nå, det var ju mycket enkelt och fullkomligt lagligt. Ska Bertha resa nu?

Ryttmästarn Ja, om fjorton dagar skall hon resa.

Laura Är det ditt beslut?

Ryttmästarn Ja!

Laura Har du talat vid Bertha om det?

Ryttmästarn Ja!

Laura Då får jag väl lov att söka hindra det!

Ryttmästarn Det kan du inte!

Laura Inte! Tror du att en mor släpper ut sitt barn bland dåliga människor att lära sig, det allt vad modren inplantat är dumheter, så att hon sedan får gå föraktad av sin dotter hela sitt liv.

Ryttmästarn Tror du att en far vill tillåta okunniga och inbilska kvinnor lära dottren att fadren var en charlatan?

Laura Det skulle nu betyda mindre med fadren.

Ryttmästarn Varför så?

Laura Därför att modren är närmare till barnet, sedan man upptäckt att ingen egentligen kan veta vem som är ett barns fader.

Ryttmästarn Vad har det för tillämpning i detta fallet?

Laura Inte vet du om du är Berthas far!

Ryttmästarn Vet jag inte!

Laura Nej, det ingen kan veta, vet väl inte du!

Ryttmästarn Skämtar du?

Laura Nej, jag begagnar endast dina lärdomar. För övrigt, hur vet du att jag inte varit dig otrogen?

Ryttmästarn Mycket tror jag dig om, men det inte, och inte det heller att du skulle tala om det, såvida det var sant.

Laura Antag att jag föredrog allt, att bli utstött, föraktad, allt för att få behålla och råda över mitt barn, och att jag nu vore uppriktig, när jag förklarade: Bertha är mitt, men inte ditt barn! Antag...

Ryttmästarn Sluta nu!

Laura Antag bara detta: då vore din makt ute!

Ryttmästarn Sedan du bevisat, att jag icke var fadren!

Laura Det vore väl inte svårt! Skulle du vilja det?

Ryttmästarn Sluta nu!

Laura Jag skulle naturligtvis bara behöva uppge namnet på den verklige fadren, närmare bestämma plats och tidpunkt, till exempel —, när är Bertha född? — tredje året efter vigseln...

Ryttmästarn Sluta nu! Annars...

Laura Annars vad? Vi ska sluta nu! Men tänk noga på vad du gör och beslutar! Och gör dig framför allt inte löjlig!

Ryttmästarn Jag finner allt detta ytterst sorgligt!

Laura Desto löjligare blir du!

Ryttmästarn Men inte du!

Laura Nej, så klokt ha vi fått det ställt.

Ryttmästarn Det är därför man inte kan strida med er.

Laura Varför inlåter du dig i strid då mot en överlägsen fiende.

Ryttmästarn Överlägsen?

Laura Ja! Eget är det, men jag har aldrig kunnat se på en man, utan att känna mig överlägsen.

Ryttmästarn Nå, så skall du få se din överman en gång, så du aldrig glömmer det.

Laura Det skall bli intressant.

Amman (in) Bordet är serverat. Behagar inte herrskapet stiga ut och spisa?

Laura Jo gärna!

Ryttmästarn dröjer; sätter sig i en fåtölj vid divanbordet.

Laura Ska du komma och äta kväll?

Ryttmästarn Nej, tack, jag vill ingenting ha!

Laura Va! Är du ledsen?

Ryttmästarn Nej, men jag är inte hungrig.

Laura Kom nu, annars ska man göra frågor som —
äro onödiga! — Var snäll nu! — Du vill inte, så sitt
där då! *(Går.)*

Amman Herr Adolf! Vad är det här för slag?

Ryttmästarn Jag vet inte vad det är. Kan du förklara
mig hur ni kan behandla en gammal man som om
han vore ett barn!

Amman Inte förstår jag det, men det är väl därför att
ni äro kvinnors barn alla män, stora och små ...

Ryttmästarn Men ingen kvinna är av man född. Ja,
men jag är ju Berthas far. Säg, Margret, tror du inte
det? Tror du inte?

Amman A gud, vad han är barnslig. Visst är han väl
sitt eget barns far. Kom och ät nu, och sitt inte där
och sura! Så! Så, kom nu bara!

Ryttmästarn (stiger upp) Gå ut kvinna! At helvete
häxor! *(Till tamburdörren.)* Svärd! Svärd!

Kalfaktorn (in) Herr ryttmästarn!

Ryttmästarn Låt sätta för kappsläden, genast!

Amman Herr ryttmästarn! Hör nu på ...

Ryttmästarn Ut kvinna! Genast!!

34

Amman   Bevare oss gud, vad skall nu bli av?

Ryttmästarn (tar på sig mössan och rustar att gå ut)
   Vänta mig icke hem före midnatt! *(Går.)*

Amman   Jesus hjälp oss, vad skall detta bli av?

Andra akten

Samma dekoration som förra akten. Lampan brinner på bordet; det är natt.

Doktorn. Laura.

Doktorn Efter vad jag av vårt samtal kunde finna, så är saken ännu icke mig fullt bevisad. Ni hade för det första begått ett misstag, då ni sade att han kommit till dessa förvånande resultat om andra himlakroppar genom ett mikroskop. När jag nu fått höra att det var ett spektroskop, så är han icke allenast friad från misstanken om sinnesrubbning, utan även i hög grad förtjänt om vetenskapen.

Laura Ja, men det sa jag aldrig!

Doktorn Min fru, jag antecknade vårt samtal och jag erinrar mig att jag frågade om själva huvudpunkten, emedan jag trodde mig ha hört orätt. Man måste vara samvetsgrann i sådana anklagelser, som gälla en mans omyndighetsförklaring.

Laura Omyndighets-förklaring.

Doktorn Jo, det vet ni väl att en avita person förlorar sina medborgerliga och familje-rättigheter.

Laura Nej, det visste jag inte.

Doktorn Vidare fanns en punkt, som synes mig misstänkt. Han talade om att hans brevväxling med bokhandlarne förblivit obesvarad. Tillåt mig fråga om ni av oförståndig välvilja avbrutit den.

Laura Ja, det har jag. Men det var min plikt att bevaka husets intressen, och jag kunde icke opåtalt låta honom ruinera oss alla.

Doktorn Förlåt mig, men jag tror ni icke kunnat beräkna följderna av en sådan handling. Kommer han att upptäcka ert dolda ingripande i hans görande, så är hans misstänksamhet grundad, och sedan växer den som en lavin. Dessutom har ni därigenom satt spärrhakar på hans vilja och ytterligare retat hans otålighet. Ni har väl själv känt hur det river i själen, när ens varmaste önskningar motarbetas, när ens vilja stäckes.

Laura Om jag har känt det?

Doktorn Nå, döm då om huru han skall ha erfarit det.

Laura (reser sig) Det är midnatt och han har inte kommit hem. Nu kan man frukta det värsta.

Doktorn Men säg min fru, vad hände då i kväll sedan jag gick; jag måste veta allt.

Laura Han fantiserade och hade besynnerliga idéer. Kan ni tänka er sådana infall som det att han icke är far till sitt barn.

Doktorn Det var egendomligt. Men hur kom han på

den tanken?

Laura   Jag vet inte alls, om inte det var att han hade ett förhör med en av karlarne i en barnuppfostringsfråga, och när jag tog flickans försvar, förivrade han sig och sade att ingen kunde säga vem som är far till ett barn. Gud ska veta att jag gjorde allt för att lugna honom, men nu tror jag ingen hjälp mer finns. *(Gråter.)*

Doktorn   Men detta kan inte få fortgå; här måste något göras, utan att man väcker hans misstänksamhet likväl. Säg mig, har ryttmästarn förr haft sådana griller?

Laura   För sex år sedan var det samma förhållande, och då erkände han själv, ja, i ett eget brev till läkaren till och med, att han fruktade för sitt förstånd.

Doktorn   Ja, ja, ja, det här är en historia, som har djupa rötter, och familjelivets helgd — och det där — jag kan inte fråga om allt, utan måste hålla mig till det som syns. Det gjorda kan inte göras ogjort tyvärr, och kuren skulle dock ha applicerats på det gjorda. — Var tror ni han är nu?

Laura   Det har jag ingen aning om. Men han har nu så vilda infall.

Doktorn   Vill ni att jag skall avvakta hans återkomst? Jag kunde ju för att undvika misstankar säga att jag besökt er fru mor, som varit opasslig.

Laura   Ja, det går mycket bra! Men lämna oss inte, herr doktor; om ni visste hur orolig jag är. Men vore det icke bättre att säga honom rent ut vad ni tänker om hans tillstånd.

Doktorn Det säger man aldrig åt sinnessjuka, förrän
de tala själva om ämnet, och endast undantagsvis då.
Det beror alldeles på vad vändning saken tar. Men
här ska vi inte sitta då; kanske jag får draga mig in
i rummet bredvid, så ser det mindre gjort ut.

Laura Ja, det är bättre, så kan Margret sitta här. Hon
brukar alltid vaka, när han är borta och hon är den
enda som har någon makt med honom. *(Går till
vänstra dörren.)* Margret! Margret!

Amman Vad vill frun mig! Är herrn hemma?

Laura Nej, men du ska sitta här och vänta honom;
och när han kommer, skall du säga att min mor är
sjuk och att doktorn är här därför.

Amman Ja, ja; jag skall se till att allt blir bra.

Laura (öppnar dörren åt våningen) Vill doktorn vara
god och stiga in hit.

Doktorn Min fru!

ANDRA SCENEN

*(Amman vid bordet; tar upp en psalmbok och glas-
ögon.)* Ja, ja! Ja, ja! *(Läser halvhögt.)*

> En jämmerlig och usel ting
> är livet, och tar snarligt slut.
> Dödsängeln svävar alltomkring
> och över världen ropar ut:
> Fåfänglighet, Förgänglighet!

Ja, ja! Ja, ja!

Allt som på jorden anda har
till jorden faller för hans glav
och sorgen ensam lever kvar
att rista på den vida grav:
Fåfänglighet, Förgänglighet!

Ja, ja!

*Bertha (har kommit in med en kaffepanna och ett bro-
deri; talar tyst)* Margret, får jag sitta hos dig? Det
är så hemskt däruppe!

Amman Å min skapare; är Bertha oppe än?

Bertha Jag måste sy på pappas julklapp, ser du. Och
här har jag något gott åt dig!

Amman Ja, men kära hjärtans, det går inte an; Bertha
ska ju opp i morgon; och klockan är över tolv.

Bertha Nå vad gör det. Jag törs inte sitta ensam där-
uppe, för jag tror det spökar.

Amman Se där; vad sa jag. Ja, ni ska få sanna mina
ord, i det här huset är ingen god tomte. Vad hörde
Bertha för slag?

Bertha Ah, vet du jag hörde en som sjöng uppe på
vind.

Amman På vind! Så här dags!

Bertha Ja, det var en sorglig, så sorglig sång, som jag
aldrig hört. Och den lät som om den kom från vinds-
kontoret, där vaggan står, du vet till vänster . . .

Amman Oj, oj, oj! Och ett sådant herrans väder denna
natt! Jag tror att skorstenarne ska blåsa ner. "Ack,
vad är dock livet här? — Jämmer, plåga, stort besvär.

— När som bäst det varit har. — Vedermöda blott det var." — Ja kära barn, gud give oss en god jul!

Bertha Margret, är det sant att pappa är sjuk?

Amman Ja, nog är han det!

Bertha Då får vi inte fira julafton. Men hur kan han vara uppe, när han är sjuk.

Amman Jo mitt barn, han har en sådan sjukdom att han kan vara uppe. Tyst, det går där ute i farstun. Gå och lägg sig nu och ta ut pannan; annars blir herrn ond.

Bertha (går ut med brickan) God natt Margret!

Amman God natt mitt barn, Gud välsigne dig!

TREDJE SCENEN

Amman. Ryttmästarn.

Ryttmästarn (tar av sig överplaggen) Är du uppe ännu? Gå och lägg dig!

Amman Ack jag ville bara vänta ...

Ryttmästarn tänder ett ljus; öppnar chiffonjéklaffen; sätter sig vid densamma och tar upp ur fickan brev och tidningar.

Amman Herr Adolf!

Ryttmästarn Vad vill du mig?

Amman Gamla frun är sjuk. Och doktorn är här!

Ryttmästarn Är det farligt?

Amman Nej, det tror jag inte. Det är bara en förkylning.

Ryttmästarn (stiger upp) Vem var far till ditt barn,

Margret?

Amman Ah, det har jag ju talt om så många gånger, att det var den slarven Johansson.

Ryttmästarn Är du säker på att det var han?

Amman Nej, men så barnsligt; visst är jag säker på det, när han var ensam.

Ryttmästarn Ja, men var han säker på att han var ensam? Nej, det kunde han inte vara, men du kunde vara säker på det. Ser du det är skillnad på det.

Amman Nej, jag ser ingen skillnad på det.

Ryttmästarn Nej, du kan inte se det, men skillnaden är där ändå! *(Bläddrar i ett fotografialbum på bordet.)* Tycker du att Bertha är lik mig? *(Betraktar ett porträtt i albumet.)*

Amman Ja då, som ett bär!

Ryttmästarn Erkände Johansson att han var fadren?

Amman Å, han var väl så tvungen.

Ryttmästarn Det är förfärligt! — Där är doktorn!

FJÄRDE SCENEN
Ryttmästarn. Amman. Doktorn.

Ryttmästarn God afton, doktor. Hur är det med min svärmor?

Doktorn Jo, det är ingenting farligt; det är bara en lindrig vrickning i vänstra foten.

Ryttmästarn Jag tyckte Margret sa att det var en förkylning. Det tycks vara olika uppfattningar av saken. Gå och lägg dig Margret!

Amman går. Paus.

Ryttmästarn Var så god och sitt herr doktor.

Doktorn *(sätter sig)* Tackar!

Ryttmästarn Är det sant att man får randiga föl om man korsar en zebra och ett sto?

Doktorn *(förvånad)* Fullkomligt riktigt!

Ryttmästarn Är det sant att de följande fölen också blir randiga, om man fortsätter aveln med en hingst?

Doktorn Ja, det är också sant.

Ryttmästarn Alltså kan under vissa förutsättningar en hingst vara far till randiga föl, och tvärtom?

Doktorn Ja! Så synes det.

Ryttmästarn Det vill säga: avkommans likhet med fadren bevisar ingenting.

Doktorn Å...

Ryttmästarn Det vill säga: faderskapet kan icke bevisas.

Doktorn Å — hå...

Ryttmästarn Ni är änkling och har haft barn?

Doktorn Ja-a...

Ryttmästarn Kände ni er inte löjlig ibland som far. Jag vet ingenting så komiskt som att se en far gå och leda sitt barn på gatan, eller när jag hör en far tala om sina barn. "Min hustrus barn", skulle han säga. Kände ni aldrig det falska i er ställning, hade ni aldrig några anfäktelser av tvivel, jag vill inte säga misstankar, för jag antar som gentleman att er hustru stod över misstankar?

Doktorn Nej, det hade jag verkligen aldrig, men se herr ryttmästarn, sina barn får man ta på god tro, säger Goethe, tror jag.

Ryttmästarn God tro, när det gäller en kvinna? Det är riskabelt.

Doktorn Ah, det finns så många slags kvinnor.

Ryttmästarn Nyare forskningar ha givit vid handen att det bara finns ett slag! — När jag var ung, var jag stark och — med skryt — vacker. Jag erinrar mig nu bara två ögonblicks impressioner, som senare ha väckt mina farhågor. Jag reste sålunda ena gången på en ångbåt. Vi satt i försalongen några vänner. Mitt emot mig kom den unga restauratrisen och satte sig förgråten, berättande att hennes fästman förlist. Vi beklagade henne och jag tog in champagne. Efter andra glaset vidrörde jag hennes fot; efter fjärde hennes knä, och innan morgonen hade jag tröstat henne.

Doktorn Det var bara en vinterfluga det!

Ryttmästarn Nu kommer den andra och det var en sommarfluga. Jag var i Lysekil. Där var en ung fru, som hade sina barn med sig, men mannen var i stan. Hon var religiös, hade ytterst stränga principer, predikade moral för mig, var komplet: hederlig, som jag tror. Jag lånade henne en bok, två böcker; när hon skulle resa, lämnade hon, ovanligt nog, igen böckerna. Tre månader senare hittade jag i samma böcker ett visitkort med en tämligen tydlig förklaring. Den var oskyldig, så oskyldig en kärleksförklaring från en gift kvinnas sida kan vara till en främmande herre, som aldrig gjort några avancer. Nu kommer sens-moralen. Tro inte för mycket bara!

Doktorn Tro inte för lite heller!

Ryttmästarn Nej, lagom! Men ser ni, doktor, den kvinnan var så omedvetet skurkaktig att hon talar om för sin man att hon svärmade för mig. Det är just detta som är faran, att de äro omedvetna om sin instinktiva skurkaktighet. Detta är förmildande omständigheter, men kunna icke upphäva domen, bara mildra den!

Doktorn Herr ryttmästare, era tankar gå i en sjuklig riktning och ni skulle taga vara på dem.

Ryttmästarn Ni ska inte begagna ordet sjuklig. Ser ni, alla ångpannor explodera när manometern visar 100, men 100 är inte detsamma för alla pannor; förstår ni? Emellertid, ni är här för att bevaka mig. Om jag nu icke vore man, så skulle jag ha rättighet att anklaga, eller beklaga, som det så slugt kallas, och jag kanske skulle kunna ge er hela diagnosen, och vad mer är sjukdomshistorien, men nu är jag tyvärr en man, och jag har bara som romaren att lägga armarna i kors över bröstet och hålla andan tills jag dör. God natt!

Doktorn Herr ryttmästare! Om ni·är sjuk, går det ej er manliga ära för när att säga mig allt. Jag måste även höra andra parten!

Ryttmästarn Ni har haft nog att höra den ena, förmodar jag.

Doktorn Nej, herr ryttmästare. Och ni vet, att när

jag hörde fru Alving liktala sin döda man, så tänkte jag för mig själv: förbannat synd att karlen ska vara död!

Ryttmästarn Tror ni då att han skulle talat, om han levat! Och tror ni att om någon av de döda männen stego upp, han skulle bli trodd? God natt, herr doktor! Ni hör jag är lugn, och ni kan tryggt gå och lägga er!

Doktorn God natt då, ryttmästarn. Den här saken kan jag icke vidare ta någon befattning med.

Ryttmästarn Ä vi ovänner?

Doktorn Långt därifrån. Skada bara att vi inte få vara vänner! God natt. *(Går.)*

Ryttmästarn (följer Doktorn till fonddörren; därpå går han till vänstra dörren, öppnar den på glänt) Stig in, så få vi tala! Jag hörde att du stod och lyssnade.

FEMTE SCENEN

Laura in förlägen. Ryttmästarn sätter sig vid chiffonjéklaffen.

Ryttmästarn Det är sent på natten, men vi måste tala till punkt. Sitt ner! *(Paus.)* Jag har varit på postkontoret i kväll och hämtat brev! Av dessa framgår att du undanhållit både avgående och ankommande brev. Följden därav har närmast blivit att tidspillan förstört det väntade resultatet av mitt arbete.

Laura Det var välvilja från min sida, ty du försummade din tjänst för det andra arbetet.

46

Ryttmästarn   Det var nog icke välvilja, ty du hade haft visshet om, att jag en dag skulle vinna mera ära på det andra än på min tjänst, och du ville framför allt icke att jag skulle vinna någon ära, emedan det tryckte din obetydlighet. Därpå har jag uppfångat brev ställda till dig.

Laura   Det var nobelt gjort.

Ryttmästarn   Ser du, du har högre tankar om mig, som det kallas. Av dessa framgår att du en längre tid samlat alla mina fordna vänner emot mig genom att underhålla ett rykte om mitt sinnestillstånd. Och du har lyckats i dina bemödanden, ty nu finns det inte mer än en enda som tror mig vara klok, från chefen ner till köksan. Nu förhåller det sig med min sjukdom på detta sätt: mitt förstånd är orubbat, som du vet, så att jag både kan sköta min tjänst och mina åligganden som far, mina känslor har jag ännu något i min makt, så länge viljan är tämligen oskadad; men du har gnagt och gnagt på den att den snart släpper kuggarne och då surrar hela urverket opp baklänges. Jag vill inte vädja till dina känslor, ty sådana saknar du, det är din styrka, utan jag vädjar till ditt intresse.

Laura   Låt höra?

Ryttmästarn   Du har genom ditt uppförande lyckats väcka min misstänksamhet, så att mitt omdöme snart är grumlat, och mina tankar börja gå vilse. Detta är det annalkande vanvettet, som du väntat på och som kan komma när som helst. Nu uppstår den frågan för dig: har du mera intresse av att jag förblir frisk än icke frisk! Tänk efter! Faller jag ihop, så mister jag tjänsten, och då står ni där. Dör jag, så utfaller min livförsäkring till er. Men, skulle jag avhända mig livet får ni ingenting. Du har sålunda intresse av att jag lever mitt liv ut.

Laura Skall detta vara en snara?

Ryttmästarn Ja visst! Beror på dig att gå omkring den eller sticka in huvet.

Laura Du säger att du dödar dig! Det gör du inte!

Ryttmästarn Är du säker! Tror du att en man kan leva, när han ingenting och ingen har att leva för?

Laura Du kapitulerar alltså?

Ryttmästarn Nej, jag föreslår fred.

Laura Villkoren?

Ryttmästarn Att jag får behålla mitt förnuft. Befria mig från mina misstankar och jag ger upp striden.

Laura Vilka misstankar?

Ryttmästarn Om Berthas börd?

Laura Finns det några misstankar om den saken?

Ryttmästarn Ja, hos mig finns det sådana; och dem har du väckt.

Laura Jag?

Ryttmästarn Ja, du har drupit dem som bolmörtsdroppar i mitt öra, och omständigeterna ha givit växt åt dem. Befria mig från ovissheten, säg mig rent ut: så är det, och jag förlåter dig i förväg.

Laura Jag kan väl inte påtaga mig en skuld som jag ej har.

Ryttmästarn Vad gör det dig, då du har säkerhet att

48

jag ej yppar det. Tror du att en man skulle gå och basuna ut sin skam.

Laura Om jag säger att så inte är, så får du icke visshet, men om jag säger att så är, då får du visshet. Du önskar således att så vore.

Ryttmästarn Underligt är det, men det är väl därför att det förra fallet ej kan bevisas, endast det senare.

Laura Har du några anledningar till dina misstankar?

Ryttmästarn Ja och nej!

Laura Jag tror att du önskar få skuld på mig, så att du kan avskeda mig och sedan få bli ensam herre över barnet. Men mig fångar du inte med de snarorna.

Ryttmästarn Tror du att jag vill åtaga mig en annans barn om jag finge visshet om din skuld.

Laura Nej, det är jag övertygad om, och därför inser jag att du ljög nyss, då du gav mig din förlåtelse i förväg.

Ryttmästarn (stiger upp) Laura, rädda mig och mitt förstånd. Du förstår ju inte vad jag säger. Om barnet icke är mitt, så har jag inga rättigheter och vill inga ha över det, och det är ju endast det du vill. Icke så? Kanske det är mera du vill, annat? Du vill ha makten över barnet, men ha mig kvar som försörjare?

Laura Makten, ja. Vad har hela denna strid på liv och död rört annat än makten?

Ryttmästarn För mig, som icke tror på ett kommande liv, var barnet mitt liv efter detta. Det var min evighetstanke, och kanske den enda som har någon motsvarighet i verkligheten. Tar du bort den, så är mitt liv avklippt.

Laura Varför skildes vi inte i tid?

Ryttmästarn Därför att barnet band oss; men bandet blev en kedja. Och hur blev det? Hur? Jag har aldrig tänkt över denna sak, men nu stiger minnet upp, anklagande, dömande kanske. Vi hade varit gifta i två år och hade inga barn, du vet bäst varför. Jag föll sjuk och låg för döden. I en feberfri stund hör jag röster utanför i salongen. Det var du och advokaten, som talade om min förmögenhet, som jag då ännu ägde. Han förklarar att du ingenting kan få ärva, efter som vi icke hade några barn, och han frågar dig om du var i grossess. Vad du svarade hörde jag ej. Jag tillfrisknade, och vi fick ett barn. Vem är fadren?

Laura Du!

Ryttmästarn Nej, det är inte jag! Här ligger ett brott begravet, som börjar dunsta upp. Och vilket helvetets brott! Svarta slavar ha ni varit nog ömsinta att befria, men vita ha ni kvar. Jag har arbetat och slavat för dig, ditt barn, din mor, dina tjänare; jag har offrat bana och befordran, jag har undergått tortyr, piskning, sömnlöshet, oro för er existens, så att mina hår grånat; allt för att du skulle få det nöjet leva bekymmerslöst och när du åldrades njuta om igen tillvaron i ditt barn. Allt har jag fördragit utan klagan, därför att jag trodde mig vara far till detta barn. Detta är den simplaste form av stöld, det brutalaste slaveri. Jag har haft sjutton års straffarbete och varit

50

oskyldig, vad kan du ge mig igen för det?

Laura   Nu är du fullt vansinnig!

Ryttmästarn (sätter sig)   Det är ditt hopp! Och jag har sett hur du arbetat för att dölja ditt brott. Jag har haft medlidande med dig, därför att jag icke förstod din sorg; jag har ofta smekt ditt onda samvete till ro, då jag trodde mig jaga bort en sjuklig tanke; jag har hört dig skrika i sömnen utan att jag ville lyssna. Nu minns jag, den natten före sista — det var Berthas födelsedag. Klockan var mellan två och tre på morgonen och jag satt uppe och läste. Du skrek som om någon ville kväva dig: "kom inte, kom inte!" Jag bultade i väggen för att — jag inte ville höra mer. Jag har länge haft mina misstankar, men jag vågade ej höra dem bekräftade. Detta har jag lidit för dig, vad vill du göra för mig?

Laura   Vad kan jag göra? Jag skall svära vid Gud och allt vad mig är heligt att du är far till Bertha.

Ryttmästarn   Vad gagnar det, då du förr har sagt att en mor kan och bör begå alla brott för sitt barn. Jag ber dig, vid minnet av det förflutna, jag ber dig som den sårade om en nådestöt: säg mig allt. Ser du icke att jag är hjälplös som ett barn, hör du icke hur jag beklagar mig som inför en mor, vill du icke glömma att jag är en man, att jag är en soldat, som med ett ord kan tämja människor och kreatur; jag begär endast medlidande som en sjuk, jag nedlägger min makts tecken och jag anropar om nåd för mitt liv.

Laura (har närmat sig honom och lägger sin hand på

hans panna) Vad! Du gråter, man!

Ryttmästarn Ja, jag gråter, fastän jag är en man. Men har icke en man ögon? Har icke en man händer, lemmar, sinnen, tycken, passioner? Lever han icke av samma föda, såras han icke av samma vapen, värmes han icke och kyles av samma vinter och sommar som en kvinna? Om ni sticker oss, blöda vi icke? Om ni kittlar oss, kikna vi icke? Om ni förgiftar oss, dö vi icke? Varför skulle icke en man få klaga, en soldat få gråta? Därför att det är omanligt! Varför är det omanligt?

Laura Gråt du mitt barn, så har du din mor igen hos dig. Minns du att det var som din andra mor jag först inträdde i ditt liv. Din stora starka kropp saknade nerver, och du var ett jättebarn, som antingen kommit för tidigt till världen eller kanske icke var önskad.

Ryttmästarn Ja, så var det nog; far och mor *ville* icke ha mig och därför föddes jag utan vilja. Jag tyckte därför att jag skarvade mig, när jag och du blevo ett, och därför fick du råda; jag blev, jag, som i kasernen, inför truppen var den befallande, jag var hos dig den lydande, och jag växte vid dig, såg upp till dig som ett högre begåvat väsen, lyssnade till dig som om jag var ditt oförståndiga barn.

Laura Ja, så var det då, och därföre älskade jag dig som mitt barn. Men vet du, du såg det nog, varje gång dina känslor ändrade natur och du stod fram som min älskare, så blygdes jag, och din omfamning

52

var mig en fröjd, som följdes av samvetsagg såsom om blodet känt skam. Modren blev älskarinna, hu!

Ryttmästarn Jag såg det, men förstod det ej. Och när jag trodde mig läsa ditt förakt över min omanlighet ville jag vinna dig som kvinna genom att vara man.

Laura Ja, men däri låg misstaget. Modren var din vän, ser du, men kvinnan var din fiende, och kärleken mellan könen är strid; och tro inte att jag gav mig; jag gav ej, utan jag tog — vad jag ville ha. Men du hade ett övertag, som jag kände och som jag ville du skulle känna.

Ryttmästarn Du hade alltid övertaget; du kunde hypnotisera mig vaken, så att jag varken såg eller hörde, utan bara lydde; du kunde ge mig en rå potatis och inbilla mig att det var en persika; du kunde tvinga mig att beundra dina enfaldiga infall såsom genialiteter; du kunde förmått mig till brott, ja till lumpna handlingar. Ty du saknade förståndet, och i stället för att bli verkställaren av mina råd, handlade du efter ditt eget huvud. Men när jag sedan vaknade till eftertanke och kände min ära kränkt, ville jag utplåna den genom en stor handling, en bedrift, en upptäckt eller ett hederligt självmord. Jag ville gå ut i kriget, men fick ej. Det är då jag kastar mig på vetenskapen. Nu, då jag skulle räcka ut handen för att ta emot frukten, så hugger du av armen. Nu är jag ärelös och kan inte leva längre, ty en man kan inte leva utan ära.

Laura Men en kvinna?

Ryttmästarn Ja, ty hon har sina barn, men det har inte han. — Men vi och de andra människorna levde fram vårt liv, omedvetna som barn, fulla av inbillningar, ideal och illusioner, och så vaknade vi; det gick an, men vi vaknade med fötterna på huvudgärden, och den som väckte oss var själv en sömngångare. När kvinnor bli gamla och upphört vara kvinnor, få de skägg på hakan, jag undrar vad män få, när de bli gamla och upphört vara män? De som gåvo hanegället voro icke längre hanar utan kapuner, och poularderna svarade på locket, så att när solen skulle gå upp, så befunno vi oss sittande i fullt månsken med ruiner, alldeles som i den gamla goda tiden. Det hade bara varit en liten morgonlur med vilda drömmar, och det var icke något uppvaknande.

Laura Du skulle ha blivit författare, vet du!

Ryttmästarn Vem vet!

Laura Nu är jag sömnig, har du några mera fantasier, så spar dem till i morgon.

Ryttmästarn Först ett ord till om verkligheter. Hatar du mig?

Laura Ja, ibland! När du är man.

Ryttmästarn Det är som ras-hat detta. Är det sant att vi härstamma från apan, så måtte det åtminstone ha varit från två arter. Vi äro ju inte lika varann?

Laura Vad vill du nu säga med allt detta?

Ryttmästarn Jag känner att i denna strid en av oss måste gå under.

Laura Vem?

Ryttmästarn Den svagare naturligtvis!

Laura Och den starkare har rätt?

Ryttmästarn Alltid rätt efter som han har makt!

Laura Då har jag rätt.

Ryttmästarn Har du redan makten då?

Laura Ja, och en laglig, när jag i morgon ställer dig under förmyndare.

Ryttmästarn Under förmyndare?

Laura Ja! Och sedan uppfostrar jag mitt barn själv utan att höra på dina visioner.

Ryttmästarn Och vem skall bestå uppfostran, när jag icke mer finns?

Laura Din pension!

Ryttmästarn (går emot henne hotande) Hur kan du få mig under förmyndare?

Laura (tar fram ett brev) På detta brev, som i bevittnad avskrift ligger på förmyndarkammaren.

Ryttmästarn Vilket brev?

Laura (drar sig ut baklänges mot vänstra dörren) Ditt! Din förklaring till läkaren att du är vansinnig!

Ryttmästarn betraktar henne stum.

Laura Nu har du uppfyllt din bestämmelse som en tyvärr nödvändig far och försörjare. Du behövs inte mer, och du får gå. Du får gå sedan du insett att mitt förstånd var lika starkt som min vilja, efter som du icke ville stanna och erkänna det!

Ryttmästarn går till bordet; tar den brinnande lampan och kastar den mot Laura, som dragit sig ut baklänges genom dörren.

Tredje akten

Samma dekoration som förra akten. Men en annan lampa. Tapetdörren är barrikaderad med en stol.

FÖRSTA SCENEN

Laura. Amman.

Laura Har du fått nycklarna?

Amman Fått dem? Nej, Gud hjälpe det, men jag tog ur herrns kläder som Nöjd hade ut till borstning.

Laura Det är således Nöjd, som har jouren i dag.

Amman Ja, det är Nöjd själv!

Laura Ge mig nycklarna!

Amman Ja, men det är rentav som att stjäla. Hör frun hans steg däruppe. Fram och tillbaks, fram och tillbaks.

Laura Är dörrn väl stängd?

Amman Ja då, nog är den väl stängd!

Laura *(öppnar chiffonjén och sätter sig vid klaffen)* Lägg band på dina känslor, Margret. Här gäller att med lugn söka rädda oss alla. *(Det knackar.)* Vem är det?

Amman (öppnar dörren till farstun) Det är Nöjd.

Laura Låt honom komma in!

Nöjd (in) Depesch från översten!

Laura Tag hit! *(Läser.)* Så! — Nöjd, har du tagit ut alla patronerna, som fanns i gevär och väskor?

Nöjd Det är gjort efter befallning!

Laura Vänta då därute, tills jag besvarat överstens brev!

Nöjd går. Laura skriver.

Amman Hör frun! Vad tar han sig nu till däruppe!

Laura Tyst, när jag skriver!

Man hör ljudet av en såg.

Amman (halvhögt för sig själv) A, Gud oss hjälpe alla nådeligen! Var skall detta sluta?

Laura Se där; lämna det åt Nöjd! Och min mor får ingenting veta om allt detta! Hör du det!

Amman går till dörren. Laura drar upp lådor i chiffonjéklaffen och tar fram papper.

ANDRA SCENEN

Laura. Pastorn tar en stol och sätter sig bredvid Laura vid chiffonjén.

Pastorn God afton, syster. Jag här varit borta hela dagen som du hört och kom nu först. Här har timat svåra saker.

Laura Ja, broder, en sådan natt och en sådan dag har jag aldrig upplevat förr.

Pastorn Nå, jag ser att du inte tog någon skada i alla

händelser.

Laura Nej, gud vare lov, men tänk vad som skulle kunnat inträffa.

Pastorn Men säg mig en sak, hur började det. Jag har nu hört så många olika berättelser.

Laura Det började med hans vilda fantasier om att han icke var far till Bertha, och slutade med att han kastade den brinnande lampan mot mitt ansikte.

Pastorn Det är ju förfärligt! Det är ju fullt utbildat vanvett. Och vad skall nu göras?

Laura Vi måste söka hindra nya våldsamheter, och doktorn har skickat efter en tvångströja från hospitalet. Under tiden har jag sänt bud till översten och söker sätta mig in i husets affärer, som han har skött på ett klandervärt sätt.

Pastorn Det var en bedrövlig historia, men jag har alltid väntat mig något sådant. Eld och vatten ska sluta med explosion! Vad har du där för något i lådan?

Laura (har dragit ut en låda ur klaffen) Se, här har han gömt allting!

Pastorn (letar i lådan) Herre Gud! Där har han din docka; och där din dopmössa; och Berthas skallra; och dina brev; och medaljongen... *(Torkar sig i ögonen.)* Han måtte allt ha hållit dig bra kär, ändå, Laura. Sånt där har inte jag gömt på!

Laura Jag tror att han hade mig kär förr, men tiden, tiden ändrar så mycket!

Pastorn Vad är det för ett stort papper? — Gravbrevet! — Ja, hellre graven då än hospitalet! Laura! Säg mig: har du ingen skuld alls i detta?

Laura Jag? Vad skulle jag ha för skuld i att en människa blir vansinnig?

Pastorn Ja-ja! Jag ska inte säga någonting! Blodet är ändå tjockare än vattnet!

Laura Vad tar du dig friheten att mena?

Pastorn (fixerar henne) Hör du!

Laura Vad?

Pastorn Hör du! Du kan väl icke neka ändå att det är överensstämmande med dina önskningar detta att du får uppfostra ditt barn själv.

Laura Jag förstår inte!

Pastorn Vad jag beundrar dig!

Laura Mig! Hm!

Pastorn Och jag blir förmyndare för den där fritänkarn! Vet du, jag har alltid betraktat honom som ett ogräs i vår åker!

Laura (med ett kort kvävt skratt; därpå hastigt allvarsam) Och detta vågar du säga mig hans hustru?

Pastorn Du är mig stark, Laura! Otroligt stark! Som en räv i saxen: biter du hellre av ditt eget ben än du låter fånga dig! — Som en mästertjuv: ingen medbrottsling, icke ens ditt eget samvete! — Se dig i spegeln! Det törs du inte!

Laura Jag begagnar aldrig spegel!

Pastorn Nej, du törs inte! — Får jag se på din hand! — Inte en förrådande blodfläck, inte ett spår av det lömska giftet! Ett litet oskyldigt mord, som icke kan åtkommas av lagen; ett omedvetet brott; omedvetet? Det är en vacker uppfinning! Hör du hur han arbetar däruppe! — Akta dig; om den mannen släpper lös, så sågar han dig mellan två plankor!

Laura Du pratar så mycket, som om du hade ont samvete! — Anklaga mig; om du kan!

Pastorn Det kan jag inte!

Laura Ser du! Du kan inte, och därför är jag oskyldig! — Tag nu reda på din myndling, så skall jag sköta min! — Där är doktorn!

TREDJE SCENEN

De förre. Doktorn.

Laura (upp) Välkommen, herr doktor. Ni vill ju åtminstone hjälpa mig. Inte sant? Och här är tyvärr icke mycket att göra. Hör ni, så han far fram däruppe? Är ni nu övertygad?

Doktorn Jag är övertygad om att en våldshandling är begången, men nu är det frågan, om våldshandlingen skall anses som ett utbrott av vrede eller av vanvett!

Pastorn Men frånse själva utbrottet och erkänn att hans idéer voro fixa.

Doktorn Jag tror att era idéer, herr pastor, äro ändå fixare!

Pastorn Mina stadgade åsikter om de högsta tingen ...

Doktorn Vi lämna åsikterna! — Min fru, det beror av er om ni vill finna er man skyldig till fängelse och böter eller till hospitalet! Vad anser ni om ryttmästarns beteende?

Laura Jag kan inte svara på det nu!

Doktorn Ni har sålunda ingen stadgad åsikt om vad som är förmånligast för familjens intressen? Vad säger herr pastorn?

Pastorn Ja, det blir skandal i båda fallen ... det är inte gott att säga.

Laura Men om han endast blir dömd till böter för våld, så kan han förnya våldet.

Doktorn Och kommer han i fängelse slipper han snart ut igen. Alltså anse vi förmånligast för alla parter att han genast behandlas som vansinnig. — Var är amman?

Laura Hur så?

Doktorn Hon skall lägga tvångströjan på den sjuke. när jag samtalat vid honom och givit order! Men inte förr! Jag har — plagget därute! *(Går ut i tamburen och kommer in med ett stort knyte.)* Var god och bed amman komma in!

Laura ringer.

Pastorn Gruvligt, gruvligt!

Amman in.

Doktorn (tar fram tröjan) Se på nu här! Den här tröjan är meningen att ni skall smyga på ryttmästarn bakifrån, när jag finner behovet påkallat, för att hindra våldsamma utbrott. Som ni ser har den överdrivet långa ärmar, därför att de skola hindra hans rörelser. Och man knyter dem på ryggen. Här gå två remmar genom söljor, som ni sedan gör fast vid

stolkarmen eller soffan allt efter som det lämpar sig.
Vill ni det?

Amman   Nej, herr doktor, det kan jag inte; jag kan inte.

Laura   Varför gör ni det inte själv, herr doktor?

Doktorn   Därför att den sjuke misstror mig. Ni, min fru, skulle vara närmast till det, men jag fruktar att han även misstror er.

Laura min.

Doktorn   Kanske ni herr pastor ...

Pastorn   Nej, jag ska undanbe mig!

FJÄRDE SCENEN

De förre. Nöjd.

Laura   Har du redan lämnat depeschen?

Nöjd   Efter befallning!

Doktorn   Jaså, det är du Nöjd! Du känner förhållandena och vet att ryttmästaren är sinnessjuk. Du måste hjälpa oss här och sköta den sjuke.

Nöjd   Om jag kan göra något för ryttmästarn, så vet han att jag gör det!

Doktorn   Du skall lägga den här tröjan över honom ...

Amman   Nej, han får inte röra honom; Nöjd får inte göra honom illa. Då ska jag hellre göra det så vackert, så vackert! Men Nöjd kan ju stå utanför och hjälpa mig, om det behövs ... ja, det ska han göra. *(Det bultar på tapetdörren.)*

Doktorn   Han är där! Lägg tröjan under er schal på

62

stolen, och gå ut alla så länge, ska jag och pastorn ta emot honom, för den dörren håller inte många minuter. — Så, ut!

Amman (ut till vänster) Herre Jesus hjälp!

Laura stänger chiffonjén; därpå ut till vänster. Nöjd ut i fonden.

FEMTE SCENEN

Tapetdörren slås upp så att stolen kastas fram på golvet och låset lossnar. Ryttmästarn kommer ut med en trave böcker under armen. Doktorn och Pastorn.

Ryttmästarn (lägger böckerna på bordet) Här står alltsammans att läsa och i alla böckerna. Jag var alltså inte tokig! Här står i Odyssén första sången vers 215, sidan 6 i Uppsalaöversättningen. Det är Telemakos som talar till Athene. "Väl påstår min moder att han, här lika med Odysséus, är min fader; men icke vet jag det själv, ty ingen ännu själv kände sin härkomst." Och denna misstanke hyser Telemakos om Penelope, den dygdigaste av kvinnor. Det är skönt! Va! Här har vi profeten Hezekiel: "Dåren säger: se här är min fader, men ho kan veta vilkens länder haver honom avlat."

Det är ju klart! Vad har jag här för slag? Ryska litteraturens historia av Mersläkow. Alexander Puschkin, Rysslands störste skald, dog ihjälpinad av utspridda rykten om sin hustrus otrohet mera än av den kula han i en duell mottog i bröstet. På döds-

63

bädden svor han att hon var oskyldig. Åsna! åsna! Hur kunde han svära på det? Nu hör ni emellertid att jag läser mina böcker! — Nej, se Jonas, är du här! Och doktorn, naturligtvis! Har ni hört vad jag svarade en engelsk dam, som beklagade sig över att irländare bruka kasta brinnande fotogenlampor i ansiktet på sina hustrur? — Gud, vilka kvinnor, sa jag — Kvinnor? läspade hon! — Ja, naturligtvis! svarade jag. När det går så långt att en man, en man som älskat och tillbett en kvinna, går och tar en brinnande lampa och slår i ansiktet på henne, då kan man veta?!

Pastorn   Vad kan man veta?

Ryttmästarn   Ingenting! Man vet aldrig någonting, man tror bara, inte sant Jonas? Man tror, så blir man salig! Jo, det blev man! Nej, jag vet att man kan bli osalig på sin tro! Det vet jag.

Doktorn   Herr ryttmästarn!

Ryttmästarn   Tyst! Jag vill inte tala med er; jag vill inte höra er telefonera vad man pratar därinne! Därinne! Ni vet! — Hör du Jonas, tror du att du är far till dina barn? Jag minns att ni hade en informator i huset, som var fager under ögonbrynen och som folket pratade om.

Pastorn   Adolf! Akta dig!

Ryttmästarn   Känn efter under peruken, får du känna om inte det sitter två knölar där. Min själ tror jag inte han bleknar! Ja-ja, de prata bara, men herre gud, de prata ju så mycket. Men vi ä allt ena löjliga kanaljer ändå vi äkta män. Inte sant herr doktor?

Hur stod det till med er äkta soffa? Hade ni inte en löjtnant i huset, vad? Vänta nu ska jag gissa? Han hette ... — *(Viskar doktorn i örat.)* — Se ni, han blekna också! Bli inte ledsen nu. Hon är ju död och begraven, och det som är gjort kan inte göras om! Jag kände honom emellertid och han är nu — — — se på mig doktor! — Nej, mitt i ögona — major på dragonerna! Vid gud tror jag inte att han har horn också!

Doktorn (plågad) Herr ryttmästare, vill ni tala om andra saker!

Ryttmästarn Ser ni! Han vill genast tala om andra saker, när jag vill tala om horn!

Pastorn Vet du min bror, att du är sinnessjuk.

Ryttmästarn Ja, det vet jag väl. Men fick jag behandla era krönta hjärnor en rum tid, så skulle jag snart få spärra in er också! Jag är vansinnig, men hur blev jag det? Det rör inte er, och det rör inte någon! Vill ni nu tala om något annat. *(Tar fotografialbumet från bordet.)*

Herre Jesus, där är mitt barn! Mitt? Vi kan ju inte veta det? Vet ni vad vi ska göra därför, för att man ska kunna veta det? Först viger man sig för att få socialt anseende; sen skiljer man sig strax efter; och blir älskare och älskarinna; och så adopterar man barnen. Då kan man åtminstone vara säker om att det är ens adoptivbarn? Det är ju rätt? Men vad hjälper allt detta mig nu? Vad hjälper mig nu, när ni tog min evighetstanke från mig, vad gagnar mig

vetenskap och filosofi, när jag ingenting har att leva
för, vad kan jag göra med livet, när jag ingen ära
har? Jag ympade min högra arm, min halva hjärna,
min halva ryggmärg på en annan stam, ty jag trodde
de skulle växa ihop och tillsammans knyta sig i ett
enda fullkomligare träd, och så kommer någon med
kniven och skär av under ympstället, och så är jag
bara ett halvt träd, men det andra det växer på med
min arm och min halva hjärna, medan jag tvinar ner
och dör, ty det var de bästa bitarna jag gav ifrån mig.
Nu vill jag dö! Gör med mig vad ni vill! Jag finns
inte mer!

Doktorn viskar med Pastorn; de gå in i våningen åt
vänster; strax därpå kommer Bertha ut.

SJÄTTE SCENEN

Ryttmästarn. Bertha.

Ryttmästarn sitter vid bordet hopfallen.
Bertha *(går fram till honom)* Är du sjuk pappa?
Ryttmästarn (ser upp slött) Jag?
Bertha Vet du vad du har gjort? Vet du att du har
kastat lampan på mamma?
Ryttmästarn Har jag?
Bertha Ja det har du! Tänk om hon hade skadat sig?
Ryttmästarn Vad skulle det ha gjort?
Bertha Du är icke min far, när du kan tala så!
Ryttmästarn Vad säger du? Är jag icke din far? Hur
vet du det? Vem har sagt dig det? Och vem är din

far då? Vem?

Bertha   Ja inte du åtminstone!

Ryttmästarn   Fortfarande inte jag! Vem då? Vem? Du tycks vara väl underrättad! Vem har underrättat dig? Detta skulle jag uppleva att mitt barn kommer och säger mig mitt i ansiktet att jag icke är hennes far! Men vet du inte att du skymfar din mor med det? Förstår du inte att det är hennes skam om så är!

Bertha   Säg ingenting ont om mamma, hör du det!

Ryttmästarn   Nej, ni håller ihop, allesammans mot mig! Och så har ni gjort hela vägen!

Bertha   Pappa!

Ryttmästarn   Begagna inte det ordet mer!

Bertha   Pappa, pappa!

Ryttmästarn (drar henne till sig)   Bertha, kära älskade barn, du är ju mitt barn! Ja, ja; det kan inte vara annorlunda. Det är så! Det andra var bara sjuka tankar, som kommo med vinden liksom pest och febrar. Se på mig, så får jag se min själ i dina ögon! — Men jag ser hennes själ också! Du har två själar, och du älskar mig med den ena och hatar mig med den andra. Men du skall älska bara mig! Du skall bara ha en själ, annars får du aldrig frid, och inte jag heller. Du skall bara ha en tanke, som är min tankes barn, du skall bara ha en vilja, som är min.

Bertha   Det vill jag inte! Jag vill vara mig själv.

Ryttmästarn   Det får du inte! Ser du, jag är en kannibal och jag vill äta dig. Din mor ville äta mig, men det fick hon inte. Jag är Saturnus, som åt sina barn

därför att man hade spått, att de skulle äta honom
eljes. Äta eller ätas! Det är frågan! Om jag inte äter
dig, så äter du mig, och du har redan visat mig
tänderna! Men var inte rädd, mitt älskade barn, jag
ska inte göra dig illa! *(Går till vapensamlingen och
tar en revolver.)*

Bertha *(söker komma undan)* Hjälp, mamma, hjälp,
han vill mörda mig!

Amman *(in)* Herr Adolf, vad är det?

Ryttmästarn *(undersöker revolvern)* Har du tagit pa-
tronerna?

Amman Jo, jag har städat undan dem, men sitt ner
här och var stilla, så ska jag ta fram dem igen! *(Tar
Ryttmästarn i armen och sätter honom på stolen,
där han blir sittande slö. Därpå tar hon fram tvångs-
tröjan och ställer sig bakom stolen. Bertha smyger
sig ut åt vänster.)*

Amman Herr Adolf, minns han, när han var mitt
älskade lilla barn, och jag stoppade om honom om
kvällarne, och jag läste Gud som haver för honom.
Och minns han hur jag steg upp om natten och gav
honom dricka; minns han hur jag tände ljus och
talade om vackra sagor, när han hade elaka dröm-
mar så att han inte kunde sova. Minns han det?

Ryttmästarn Tala mera Margret, det lugnar så gott i
mitt huvud! Tala om mera!

Amman Ack ja, men han ska höra på då! Minns han
hur han en gång hade tagit stora kökskniven och
ville tälja båtar och hur jag kom in och måste narra

kniven av honom. Han var ett oförståndigt barn och därför måste man narra honom, för han trodde inte att man ville honom väl. — Ge mig den där ormen, sa jag, annars bits han! Och se då släppte han kniven! *(Tar revolvern ur ryttmästarns hand.)* Och så då när han skulle klä sig och inte ville. Då måste jag lirka med honom och säga att han skulle få en guldrock och bli klädd som en prins. Och då tog jag lilla livstycket, som bara var av grönt ylle, och så höll jag fram det för bröstet och sa: buss i med båda armarne! och så sa jag: sitt nu vackert stilla, medan jag knäpper det på ryggen! *(Hon har fått tröjan på honom.)* Och så sa jag: stig nu upp, och gå vackert på golvet, får jag se hur den sitter... *(Hon leder honom till soffan.)* Och så sa jag: nu ska han gå och lägga sig.

Ryttmästarn   Vad sa du? Skulle han gå och lägga sig när han var klädd? — Förbannelse! Vad har du gjort med mig! *(Söker göra sig lös.)* Ah, du satans listiga kvinna! Vem kunde tro att du hade så mycket förstånd! *(Lägger sig ner på soffan.)* Fångad, kortklippt, överlistad, och inte kunna få dö!

Amman   Förlåt mig herr Adolf, förlåt mig, men jag ville hindra honom att döda barnet!

Ryttmästarn   Varför lät du mig inte döda barnet? Livet är ju ett helvete och döden ett himmelrike, och barnen höra himmelen till!

Amman   Vad vet han om det som kommer efter döden?

Ryttmästarn   Det är det enda man vet, men om livet vet man ingenting! O, om man hade vetat från början.

Amman Herr Adolf! Böj sitt hårda hjärta och anropa sin Gud om nåd, ty ännu är det icke för sent. Det var icke för sent för rövaren på korset, när frälsaren sade: i dag skall du vara med mig i paradiset!

Ryttmästarn Kraxar du redan efter lik, gamla kråka!

Amman tar upp psalmboken ur fickan.

Ryttmästarn (ropar) Nöjd! Är Nöjd där!

Nöjd in.

Ryttmästarn Kasta ut den där kvinnan! Hon vill osa ihjäl mig med psalmboken. Kasta ut henne genom fönstret eller skorsten eller vad som helst.

Nöjd (ser på Amman) Gud bevare herr ryttmästarn innerligt, men, men jag kan inte! Jag kan rakt inte! Om det vore sex karlar, bara, men ett fruntimmer!

Ryttmästarn Rår du inte på ett fruntimmer, va?

Nöjd Nog rår jag, men se det är något särskilt med att man inte vill bära hand på fruntimmer.

Ryttmästarn Vad är det för särskilt! Ha de inte burit hand på mig?

Nöjd Ja, men jag kan inte, herr ryttmästarn! Det är rakt ut som om ni skulle be mig slå pastorn. Det sitter som religion i kroppen! Jag kan inte!

SJUNDE SCENEN

De förre. Laura ger en vink åt Nöjd att gå.

Ryttmästarn Omfale! Omfale! Nu leker du med klubban medan Herkules spinner din ull!

Laura (fram till soffan) Adolf! Se på mig. Tror du att jag är din fiende?

Ryttmästarn Ja, det tror jag. Jag tror att ni alla äro mina fiender! Min mor, som icke ville ha mig till världen, därför att jag skulle födas med smärta, var min fiende, när hon berövade mitt första livsfrö dess näring och gjorde mig till en halvkrympling! Min syster var min fiende, då hon lärde mig att jag skulle vara henne underdånig. Den första kvinna jag omfamnade var min fiende, då hon gav mig tio års sjukdom i lön för den kärlek jag gav henne. Min dotter blev min fiende, när hon skulle välja mellan mig och dig. Och du, min hustru, du var min dödsfiende, ty du lämnade mig ej, förrän jag blev liggande utan liv!

Laura Jag vet inte att jag någonsin tänkt på eller ämnat, vad du tänker att jag gjort. Det händer nog att en dunkel lust att få dig bort som något hinderligt regerat inom mig, men om du ser någon plan i mitt handlingssätt, så är det möjligt att den fanns där, fastän jag inte såg den. Jag har aldrig reflekterat över händelserna, utan de ha glidit fram på skenor, som du själv lagt ut, och inför gud och mitt samvete känner jag mig oskyldig, även om jag icke är det. Din tillvaro har för mig varit som en sten på mitt hjärta, som tryckt och tryckt tills hjärtat sökt skaka av den hämmande tyngden. Så är det nog, och har jag oförvållande slagit dig, så ber jag dig om förlåtelse.

Ryttmästarn Det där låter påtagligt! Men vad hjälper det mig? Och vems är felet? Kanske det andliga äktenskapets? Förr gifte man sig till en hustru; nu ingår man bolag med en yrkesidkerska, eller flyttar ihop med en vän! — Och så lägrar man bolagsmannen, och skändar vännen! Vart tog kärleken, den sunda, sinnliga kärleken vägen? Den dog på kuppen! Och vilken avkomma av denna kärlek på aktier, ställd på innehavaren, utan solidarisk ansvarighet! Vem är innehavaren, när kraschen kommer? Vem är den kroppslige fadren till det andliga barnet?

Laura Och vad dina misstankar om barnet angår, så äro de alldeles ogrundade.

Ryttmästarn Det är just det förfärliga! Om de åtminstone voro grundade, då hade man någonting att ta på, att hålla sig till. Nu är det bara skuggor, som gömma sig i buskarna och sticka fram huvudet för att skratta, nu är det som att slåss med luft, att göra simulaker med löst krut. En fatal verklighet skulle ha framkallat motstånd, spänt liv och själ till handling, men nu ... tankarne upplösa sig i dunster, och hjärnan mal tomning tills den tar eld! Ge mig en kudde under huvet! Och kasta något över mig, jag fryser! Jag fryser så förfärligt!

Laura tar sin schal och breder över honom. Amman går ut efter en kudde.

Laura Räck mig din hand, vän!

Ryttmästarn Min hand! Som du har bakbundit ... Omfale! Omfale! Men jag känner din mjuka schal mot min mun; den är så ljum och så len som din arm, och den luktar vanilj som ditt hår, när du var ung! Laura, när du var ung, och vi gick i björkskogen med gullvivor och trast, härligt, härligt! Tänk vad livet har varit skönt, och så det blivit. Du ville icke det skulle bli så här, jag ville det icke, och ändå blev det så. Vem råder då över livet!

Laura Gud ensam råder . . .

Ryttmästarn Stridens gud då! Eller gudinna numera! Ta bort katten, som ligger på mig! Ta bort den!

Amman in med kudden, tar bort schalen.

Ryttmästarn Ge mig min vapenrock! Kasta den över mig!

Amman tar vapenrocken från klädhängarn och lägger över honom.

Ryttmästarn Ack min hårda lejonhud, som du ville ta från mig. Omfale! Omfale! Du listiga kvinna, som var fredsvän och uppfann avväpning. Vakna Herkules, innan de ta klubban från dig! Du vill narra av oss rustningen också och låtsades tro att det var grannlåt. Nej det var järn, du, innan det blev grannlåt. Det var smeden, som förr gjorde vapenrocken, men nu är det brodösen! Omfale! Omfale! Den råa styrkan har fallit för den lömska svagheten, tvi vare dig satans kvinna och förbannelse över ditt kön! *(Han reser sig för att spotta, men faller tillbaka på soffan.)* Vad har du givit mig för kudde, Margret! Den är så hård och så kall, så kall! Kom och sätt dig här bredvid mig på stolen. Så där! Får jag lägga mitt huvud i ditt knä! Så! — Det var varmt! Luta dig över mig så att jag känner ditt bröst! — O, det är ljuvt att somna vid kvinnobröst, om det är modrens eller älskarinnans, men ljuvast modrens!

Laura Vill du se ditt barn, Adolf? Säg!

Ryttmästarn Mitt barn? En man har inga barn, det är bara kvinnor som få barn, och därför kan framtiden bli deras, när vi dö barnlösa! — O, Gud som haver barnen kär!

Amman Hör, han ber till Gud!

Ryttmästarn Nej, till dig att du skall söva mig, för jag är trött, så trött! God natt Margret, och välsignad vare du bland kvinnor! *(Han reser sig upp, men faller ned med ett anskri i Ammans knä.)*

ÅTTONDE SCENEN

Laura går till vänster och kallar in Doktorn, som kommer ut med Pastorn.

Laura Hjälp oss, doktor, om det inte är för sent? Se, han andas inte mer!

Doktorn (undersöker den sjukes puls) Det är ett slaganfall!

Pastorn Är han död?

Doktorn Nej, han kan ännu vakna till liv, men till vilket uppvaknande veta vi ej.

Pastorn En gång dö, och sedan domen ...

Doktorn Ingen dom! Och inga anklagelser! Ni, som tror att en gud styrer mänskors öden, får tala vid honom om denna angelägenhet.

Amman Ack, pastor, han bad till Gud i sin sista

stund!

Pastorn (till Laura) Är det sant?

Laura Det är sant!

Doktorn Om så är, varom jag lika litet kan bedöma som om sjukdomens orsak, så är min konst slut. Försök nu era, herr pastor.

Laura Är det allt vad ni har att säga vid denna dödsbädd, herr doktor?

Doktorn Det är allt! Mer vet icke jag. Den som vet mer, han tale!

Bertha (in från vänster, springer fram till modren) Mamma, mamma!

Laura Mitt barn! Mitt eget barn!

Pastorn Amen!

FRÖKEN JULIE

Ett naturalistiskt sorgespel
Med ett förord av författaren

Förord

Teatern har länge förefallit mig vara liksom konsten överhuvud en *Biblia pauperum,* en bibel i bild för dem som icke kunna läsa skrivet eller tryckt, och teaterförfattaren en lekmannapredikant, som kolporterar tidens tankar i populär form, så populär att medelklassen, som huvudsakligen befolkar teatern, kan utan mycket huvudbry fatta varom frågan är. Teatern har därför alltid varit en folkskola för ungdom, halvbildade och kvinnor, vilka ännu äga kvar den lägre förmågan att bedraga sig själva och låta sig bedras, det vill säga få illusion, emottaga suggestionen av författaren. Det är därför i vår tid, då det rudimentära, ofullständiga tänkandet, som försiggår genom fantasien, synes utveckla sig till reflexion, undersökning, prövning, förefallit mig som om teatern, liksom religionen, vore stadd på väg att läggas ner som en utdöende form, till vars njutande vi sakna de erforderliga villkoren. För detta antagande talar den genomgående teaterkrisen, som nu regerar hela Europa, och icke minst den omständigheten att i de kulturland, där tidevarvets största tänkare alstrats, nämligen England och Tyskland, dramatiken är död, liksom mestadels de andra sköna konsterna.

I andra länder åter har man trott sig kunna skapa ett nytt drama genom att fylla de gamla formerna med nyare tidens innehåll; men dels ha de nya tankarne ännu icke haft tid att populariseras, så att publiken ägt förståndet att fatta varom fråga var, dels ha partistriderna hettat upp sinnena, så att en ren ointresserad njutning icke kunnat inträda, där man blivit motsagd i sitt innersta, och där en applåderande eller visslande majoritet övat sitt förtryck så offentligt som ske kan i en teatersalong, dels har man icke fått den nya formen åt det nya innehållet, så att det nya vinet sprängt de gamla flaskorna.

I föreliggande dram har jag sökt icke att göra något nytt — ty det kan man inte — utan endast att modernisera formen efter de fordringar jag tänkt mig tidens människor skulle ställa på denna konst. Och till den ändan har jag valt eller låtit mig gripas av ett motiv, som kan sägas ligga utanför dagens partistrider, emedan problemet om socialt stigande eller fallande, om högre eller lägre, bättre eller sämre, man eller kvinna, är, har varit och skall bli av bestående intresse. När jag tog detta motiv ur livet, sådant jag hörde det omtalas för ett antal år sedan, då händelsen gjort ett starkt intryck på mig, fann jag det lämpa sig för sorgespelet, ty ännu gör det ett sorgligt intryck att se en lyckligt lottad individ gå under, mycket mer en släkt dö ut. Men det skall kanske komma en tid, då vi blivit så utvecklade, så upplysta, att vi med likgiltighet åse det nu råa, cyniska, hjärtlösa skådespel livet erbjuder, då vi igenlagt dessa lägre, opålitliga tankemaskiner, som kallas känslor, vilka bliva överflödiga och skadliga, när våra omdömesorgan vuxit ut. Detta att hjältinnan väcker medlidande beror endast på vår svaghet att icke kunna motstå känslan av fruktan för att samma öde skulle kunna övergå oss. Den mycket känslige åskådaren skall ändock kanske icke vara nöjd med detta medlidande, och framtidsmannen med tron skall kanske fordra några positiva förslag till det ondas avhjälpande, ett stycke program med andra ord. Men för det första finns det icke något absolut ont, ty att en släkt går under är ju en lycka för en annan släkt, som får komma opp, och växlingen i stigande och fallande utgör ett av livets största behag, då lyckan endast ligger i jämförelsen. Och programmannen, som vill avhjälpa den ledsamma omständigheten att rovfågeln äter duvan och lusen äter rovfågeln, vill jag fråga: varför skall det hjälpas? Livet är icke så matematisktidiotiskt att blott de stora äta de små, utan det händer lika ofta att biet dödar lejonet eller gör det galet åtminstone.

Att mitt sorgespel gör ett sorgligt intryck på många är de mångas fel. När vi bli starka som de första franska revolutionsmännen, skall det göra ett obetingat gott och glatt intryck att åse kronoparkernas gallring från murkna överåriga träd, som stått för länge i vägen för andra med lika rätt att vegetera sin period, ett gott intryck såsom när man ser en obotligt sjuk få dö!

Man förebrådde nyligen mitt sorgespel "Fadren" att

det var så sorgligt, liksom om man fordrade muntra sorgespel. Man ropar med pretention på livsglädjen, och teaterdirektörerna skriva rekvisitioner på farser, liksom om livsglädjen låge i att vara fånig och att rita av mänskor som om de vore, alla behäftade med danssjuka eller idiotism. Jag finner livsglädjen i livets starka, grymma strider, och min njutning är att få veta något, att få lära något. Och därför har jag valt ett ovanligt fall, men ett lärorikt, ett undantag med ett ord, men ett stort undantag, som bekräftar regeln, vilket nog skall såra dem som älska det banala. Vad som därnäst skall stöta den enkla hjärnan är att min motivering av handlingen icke är enkel, och att synpunkten icke är en. En händelse i livet — och detta är en tämligen ny upptäckt! — framkallas vanligen av en hel serie mer eller mindre djupt liggande motiv, men åskådaren väljer för det mesta det som är för hans omdöme det lättfattligaste eller för hans omdömesförmågas heder mest fördelaktiga. Här begås ett självmord. Dåliga affärer! säger borgaren. — Olycklig kärlek! säga fruntimmerna. — Kroppslig sjukdom! den sjuke. — Krossade förhoppningar! den skeppsbrutne. Men nu kan det hända, att motivet låg allestädes, eller ingenstädes, och att den avlidne dolt grundmotivet genom att framskjuta ett helt annat, som kastat bästa dager över hans minne!

Fröken Julies sorgliga öde har jag motiverat med en hel mängd omständigheter: modrens grundinstinkter; fadrens oriktiga uppfostran av flickan; egen naturell och fästmannens suggestioner på den svaga degenererade hjärnan; vidare och närmare: feststämningen på midsommarnatten; fadrens bortovaro; hennes månadssjuka; sysslandet med djuren; dansens upphetsande inflytande; nattens skymning; blommornas starka afrodisiakiska inflytande; och slutligen slumpen, som driver de två tillsammans i ett lönligt rum, plus den upphetsade mannens tilltagsenhet.

Jag har således icke förfarit ensidigt fysiologiskt, icke monomant psykologiskt, icke bara skyllt på arv från modren, icke bara kastat skulden på månadssjukan eller uteslutande på "osedligheten", icke endast predikat moral! Detta sista har jag överlåtit åt en kokerska i brist på en präst.

Denna mångfald av motiv vill jag berömma mig av såsom tidsenlig! Och ha andra gjort det före mig, så berömmer jag mig av att icke ha varit ensam om mina paradoxer, som alla upptäckter kallas.

Vad karaktärsteckningen angår, har jag gjort figurerna tämligen "karaktärslösa" på följande grunder:

Ordet karaktär har under tidernas lopp fått flerfaldig betydelse. Den betydde väl ursprungligen det dominerande grunddraget i själkomplexet, och förväxlades med temperament. Sedan blev det medelklassens uttryck för automaten; så att en individ, som en gång för alla stannat vid sin naturell eller anpassat sig till en viss roll i livet, upphört att växa med ett ord, blev kallad karaktär, och den i utveckling stadde, den skicklige navigatören på livets flod, som icke seglar med fasta skot, utan faller för vindkasten för att lova upp igen, blev kallad karaktärslös. I förringande bemärkelse, naturligtvis, emedan han var så svår att infånga, inregistrera och hålla vård över. Detta borgerliga begrepp om själens orörlighet överflyttades på scenen, där det borgerliga alltid härskat. En karaktär blev där en herre som var fix och färdig, som oföränderligt uppträdde drucken, skämtsamt, bedrövligt, och för att karaktärisera behövdes bara att sätta ett lyte på kroppen, en klumpfot, ett träben, en röd näsa, eller att man lät vederbörande upprepa ett uttryck såsom: "det var galant", "Barkis vill gärna", eller så. Detta sätt att se människorna enkelt kvarsitter ännu hos den store Molière. Harpagon är bara girig, ehuru Harpagon kunnat vara både girig och en utmärkt financier, en präktig far, god kommunalman, och, vad värre är, hans "lyte" är ytterst förmånligt för just hans måg och dotter, som ärva honom och därför icke borde klandra honom, om ock de få vänta lite på att komma i säng. Jag tror därför icke på enkla teaterkaraktärer. Och författarnes summariska domar över mänskorna: den är dum, den är brutal, den är svartsjuk, den är snål o.s.v. borde jävas av naturalister, som veta, huru rikt själskomplexet är, och som känna, att "lasten" har en baksida, som bra mycket liknar dygden.

Som moderna karaktärer, levande i en övergångstid, mer brådskande hysterisk än åtminstone den föregående, har jag skildrat mina figurer mer vacklande, söndergångna, blandade av gammalt och nytt, och det synes mig icke osannolikt att moderna idéer genom tidningar och samtal även sugit sig ner i de lager, där en domestik kan leva.

Mina själar (karaktärer) äro konglomerater av förgångna kulturgrader och pågående, bitar ur böcker och tidningar, stycken av mänskor, avrivna lappar av helgdagskläder, som blivit lumpor, alldeles som själen är hopflikad. Och jag har dessutom givit litet uppkomsthistoria, då jag låter den svagare stjäla och repetera ord från den starkare, låter själarna hämta "idéer", suggestioner som det kallas, från varandra.

Fröken Julie är en modern karaktär, icke såsom om icke halvkvinnan, man-hataren, skulle ha funnits i alla tider, utan därför att hon nu är upptäckt, har trätt fram och gjort buller. Halvkvinnan är en typ som tränger sig fram, säljer sig numera mot makt, ordnar, utmärkelser, diplom, såsom förut mot pengar, och antyder urartning. Det är ingen god art, ty den består icke, men den fortplantar sig tyvärr ett led med sitt elände; och urartade män synas göra omedvetet urval ibland dem, så att de förökas, alstra odeciderade kön, som pinas med livet, men lyckligtvis gå under, antingen i disharmoni med verkligheten eller av ohejdat frambrytande av den undertryckta driften, eller av krossade förhoppningar att icke kunna uppnå mannen. Typen är tragisk, erbjudande skådespelet av en förtvivlad kamp mot naturen, tragisk såsom ett romantiskt arv, som nu förskingras av naturalismen, vilken endast vill lycka; och till lycka hör starka och goda arter.

Men fröken Julie är även en rest från den gamla krigaradeln, som nu går undan för den nya nerv- eller stora-hjärn-adeln; ett offer för den disharmoni en moders "brott" framkallat inom en familj; ett offer för en tids villfarelser, omständigheterna, sin egen bristfälliga konstitution, vilket allt tillsammans ekvivalerar det gammaldags ödet eller universi lag. Skulden har naturalisten utstrukit med Gud, men handlingens följder, straff, fängelse, eller fruktan därför, kan han icke stryka, av den enkla grund att de kvarstå, antingen han ger décharge eller icke, ty de förfördelade medmänniskorna äro icke så beskedliga som de icke förfördelade utanför stående kunna vara det för gott pris. Även om fadern av tvingande skäl inställde revanchen, skulle dottern hämnas på sig själv, såsom hon gör här, av denna medfödda eller förvärvade äreskänsla, som de högre klasserna taga i arv — varifrån? Från barbariet, från aryska urhemmet, från medeltidens chevaleri, och som är mycket vacker, men numera oförmånlig för artens bestånd. Det är adelsmannens *harakiri*, japanens inre samvetslag, som bjuder honom skära upp magen på *sig*, när en annan skymfar honom, vilket fortlever modifierat i duellen, adelsprivilegiet. Därför lever betjänten Jean, men fröken Julie kan icke leva utan ära. Det är trälens försteg för jarlen att han saknar denna livsfarliga fördom om äran, och det finns hos oss alla aryer lite adelsman eller Don Quijote, som gör att vi sympatisera med den självmördaren som begått en ärelös handling och sålunda förlorat äran, och vi äro nog adelsmän att pinas av att se en fallen storhet ligga och skräpa som lik, ja även om den fallne skulle upprätta sig och genom ärofulla handlingar

86

giva vederlag. Betjänten Jean är en artbildare, en hos vilken differentieringen märkes. Han var statbarn och har nu utbildat sig till blivande herreman. Han har haft lätt att lära, fint utvecklade sinnen (lukt, smak, syn) och skönhetssinne. Han har redan kommit sig upp, och är nog stark att icke såras vid begagnandet av andra människors tjänster. Han är redan främmande för sin omgivning, som han föraktar såsom tillryggalagda stadier, och vilka han fruktar och flyr, emedan de känna hans hemligheter, spana ut hans avsikter, med avund se hans stigande och med förnöjelse motse hans nedgång. Därav hans dubbla, oavgjorda karaktär, vacklande mellan sympati för det uppsatta och hat emot de nu däruppe sittande. Han är aristokrat, säger han själv, har lärt det goda sällskapets hemligheter, är polerad, men rå inunder, bär redan redingoten med smak, utan att erbjuda några garantier för att han är ren på kroppen.

Han har respekt för fröken, men han är rädd för Kristin, emedan hon har hans farliga hemligheter om hand; han är tillräckligt känslolös att icke låta nattens händelser ingripa störande i sina framtidsplaner. Med slavens råhet och med härskarens brist på blödighet kan han se blod utan att dåna, ta ett missöde på nacken och kasta det i backen; därför går han osårad ur striden och slutar sannolikt som hotellvärd, och om *han* icke blir rumänisk greve, så blir troligen hans son student och möjligen kronofogde.

Det är för övrigt rätt viktiga upplysningar han ger om de lägre klassernas uppfattning av livet, sett nedifrån, när han talar sanning nämligen, vilket han icke ofta gör, ty han talar mer vad som är förmånligt för honom än vad som är sant. När fröken Julie framkastar den förmodan att alla i de lägre klasserna känna trycket ovanifrån så tungt, så håller Jean med naturligtvis, efter som det är hans avsikt att vinna sympati, men han korrigerar strax sitt yttrande, när han inser det fördelaktiga i att skilja sig från hopen.

Utom i det att Jean nu är en stigande, står han över fröken Julie i det att han är en man. Könsligt är han aristokraten genom sin manliga styrka, sina finare utvecklade sinnen, och sin förmåga av initiativ. Hans underlägsenhet består mest i den tillfälliga sociala miljö, i vilken han lever och som han troligen kan lägga av med betjäntrocken.

Slavsinnet yttrar sig i hans vördnad för greven (stövlarna), och hans religiösa övertro; men han vördar greven mera såsom innehavaren av den högre plats, dit han strävar; och denna vördnad sitter ännu kvar, när han erövrat dottern i huset och sett hur intigt det sköna skalet var.

Något kärleksförhållande i "högre" mening tror jag icke kan uppstå mellan två själar av så olika halt, och därför låter jag fröken Julies kärlek diktas av henne såsom skyddande eller urskuldande; och Jean låter jag förmoda, att en hans kärlek skulle kunna uppstå, under andra hans sociala förhållanden. Jag tänker det är väl med kärleken som med hyacinten, som skall slå rötter i mörkret, *innan* den kan skjuta en stark blomma. Här ränner den upp och går i blom och frö med en gång, och därför dör växten så fort.

Kristin slutligen är en kvinnlig slav, full av osjälvständighet, slöhet, förvärvad framför spiselden, fullproppad med moral och religion såsom täckmantlar och syndabockar. Hon går till kyrkan för att lätt och vigt på Jesus avlassa sina husstölder och intaga en ny laddning skuldlöshet. För övrigt är hon biperson och därför skisserad med avsikt, såsom jag gjort med prästen och läkaren i "Fadren", emedan jag just ville ha alldagsmänniskor, sådana som lantpräster och provinsialläkare äro som mest. Och att dessa mina bifigurer förefallit några vara abstrakta beror på att alldagsmänniskor äro i viss mån abstrakta i utövandet av sitt yrke, det vill säga osjälvständiga, endast visande en sida under yrkesförrättningen, och så länge åskådaren icke erfar behov av att se dem från flera sidor, är min abstrakta skildring tämligen riktig.

Vad dialogen slutligen angår, har jag brutit med traditionen något, i det jag icke gjort mina personer till katekter som sitta och fråga dumt för att framkalla en kvick replik. Jag har undvikit det symmetriska, matematiska i den franska konstruerade dialogen och låtit hjärnorna arbeta oregelbundet, såsom de göra i verkligheten, där i ett samtal ju intet ämne tömmes i botten, utan den ena hjärnan av den andra får en kugg på måfå att gripa in i. Och därför irrar också dialogen, förser sig i de första scenerna med ett material som sedan bearbetas, tages upp, repeteras, utvikes, lägges på, såsom temat i en musikkomposition.

Handlingen är dräglig nog, och som den egentligen endast rörer två personer, har jag hållit mig vid dessa, endast indragande en biperson, köksan, och låtande fadrens olyckliga ande sväva över och bakom det hela. Detta emedan jag trott mig märka, att för nyare tidens människor det psykologiska förloppet är det som intresserar mest, och våra vetgiriga själar icke nöjas med att se något försiggå, utan att få veta hur det går till! Vi vilja just se trådarna, se maskineriet, undersöka den dubbelbottnade asken, taga på trollringen för att finna sömmen, titta i korten för att upptäcka huru de äro märkta.

Jag har därvid haft för ögonen bröderna Goncourts monografiska romaner, vilka tilltalat mig mest av all nutidslitteratur.

Vad det tekniska i kompositionen angår, har jag på försök strukit aktindelningen. Detta emedan jag trott mig finna, att vår avtagande förmåga av illusion möjligen skulle störas av mellanakter, under vilka åskådaren får tid att reflektera och därigenom undandragas författaren-magnetisörens suggestiva inflytande. Mitt stycke varar troligen sex kvart, och när man kan höra en föreläsning, en predikan eller en kongressförhandling lika länge eller längre, har jag inbillat mig att ett teaterstycke icke skulle trötta under en och en halv timme. Redan 1872 i ett av mina första teaterförsök, Den Fredlöse, prövade jag denna koncentrerade form, ehuru med ringa framgång. Stycket var skrivet i fem akter och låg färdigt, då jag märkte dess söndersplittrade, oroliga verkan. Det brändes, och ur askan framgick en enda stor genomarbetad akt om femtio trycksidor och vilken spelade under en hel timme. Formen är alldeles icke ny, men synes vara min tillhörighet och har möjligen genom förändrade smaklagar utsikt att bli tidsenlig. — Min mening vore framdeles få en publik så uppfostrad, att den kunde sitta ut ett helaftonsspektakel i en enda akt. Men detta fordrar undersökningar först. — För att emellertid bereda vilopunkter åt publiken och skådespelarne, utan att släppa publiken ur illusionen, har jag upptagit tre konstformer, alla hörande under dramatiken; nämligen monologen, pantomimen och baletten, ursprungligen sammanhängande med den antika tragedien, då monodien nu blir monolog och kören blir balett.

Monologen är nu av våra realister bannlyst såsom osannolik, men om jag motiverar den, får jag den sannolik, och kan således begagna den med fördel. Det är ju sannolikt att en talare går ensam på sitt golv och läser högt över sitt tal, sannolikt att en skådespelare högt går igenom sin roll, att en piga pratar vid sin katt, en mor jollrar vid sitt barn, en gammal mamsell snattrar till sin papegoja, en sovande talar i sömnen. Och för att en gång ge skådespelaren tillfälle till självständigt arbete och vara fri ett ögonblick från författarens pekpinne, är det bäst att monologerna icke utföras, endast antydas. Ty då det är tämligen likgiltigt vad som säges i sömnen, åt papegojan eller åt katten, alldenstund detta icke har inflytande på handlingen, så kan en begåvad skådespelare, som sitter mitt inne i stämning och situation, möjligen improvisera detta bättre än författaren, vilken icke kan på förhand beräkna hur mycket som får pratas, och huru länge, innan publiken väckes ur illusionen.

Som bekant har den italienska teatern på vissa scener återgått till improvisationen, och därmed skapat diktande skådespelare, dock efter författarens planer, vilket ju kan vara ett framsteg eller en ny groende konstart, där det kan bli tal om *frambringande* konst.

Där monologen åter skulle bli osannolik, har jag tillgripit pantomimen, och där lämnar jag skådespelaren ändå mera frihet att dikta — och vinna självständig ära. För att likväl icke fresta publiken över förmågan, har jag låtit musiken, väl motiverad dock från midsommardansen, utöva sin illuderande makt under det stumma spelet, och beder jag musikdirektören väl behjärta valet av musikstycken, att icke främmande stämningar väckas genom minnen vare sig ur dagens operetter eller dansrepertoar eller ur alltför etnografiskt folkliga toner.

Baletten jag infört kunde icke ha varit ersatt av en s.k. folkscen, emedan folkscener spelas illa och en mängd grinollar vilja begagna tillfället att göra sig kvicka och därmed störa illusionen. Som folket icke improviserar sina elakheter, utan begagnar redan färdigt material, som kan få en dubbelmening, har jag icke diktat nidvisan, utan tagit en mindre känd danslek, som jag själv upptecknat i Stockholmstrakten. Orden träffa ungefär och icke på pricken, men det är också meningen, ty det lömska (svaga) hos slaven tillåter icke direkta angrepp. Alltså inga talande lustigkurrar i en allvarsam handling, inga råa flin över en situation som lägger locket på en släkts likkista.

Vad nu dekorationerna angår, har jag lånat av impressionistmåleriet det osymmetriska, det avklippta, och tror mig därmed ha vunnit i illusions frambringande; ty därigenom att man icke ser hela rummet och hela möblemanget, lämnas tillfälle att ana, d.v.s. fantasien sättes i rörelse och kompletterar. Även det har jag vunnit, att jag slipper de tröttande sortierna genom dörrar, helst teaterns dörrar äro av lärft och gunga vid svag beröring, och icke ens äga förmågan att ge uttryck åt en vredgad familjefars vrede, när han efter en dålig middag går ut och smäller i dörren, "så att hela huset skakar". (På teatern gungar det.) Jag har likaledes hållit mig vid en enda dekoration, både för att få figurerna att gro samman med miljön, och för att bryta med dekorationslyxen. Men när man bara har en dekoration, kan man fordra att få den sannolik. Dock är intet svårare än att få ett rum som ser ut ungefär som ett rum, hur ledigt än målaren kan göra eldsprutande berg och vattenfall. Låt vara att väggarna få bli av väv, men att måla hyllor och kökssaker på väven kunde väl vara på tid att sluta med. Vi ha så mycket annat konventionellt på scenen, som vi skola tro på, att vi kunde slippa överanstränga oss med att tro på målade kastruller.

Jag har ställt fondväggen och bordet på sned för att få skådespelarne att spela en face och i halv profil, när de sitta vid bordet mitt emot varandra. I operan Aïda har jag sett en sned fond, som ledde ögat ut i okända perspektiv, och den såg icke ut att vara uppkommen av motsägelseanda mot den tröttande räta linjen.

En annan kanske icke onödig nyhet vore borttagandet av rampen. Denna underbelysning lär ha till uppgift att göra skådespelarne fetare i ansiktet; men jag vill fråga: varför skola alla skådespelare vara feta i ansiktet? Utplånar icke detta underljus en hel del fina drag i ansiktets nedre partier, särskilt käkarne, förfalskar det icke näsans form, kastar skuggor upp över ögat? Om icke så är, så är ett annat säkert: att skådespelarnes ögon pinas, så att blickarnes verkningsfulla spel går förlorat, ty rampljuset träffar näthinnan på sådana ställen som eljes äro skyddade (utom hos sjöfolk, som få se solen i vattnet), och därför ser man sällan andra ögonspel än råa blängar antingen åt sidan, eller uppåt raderna, då vitögat synes. Möjligen kan man också tillskriva samma orsak särskilt skådespelerskornas tröttsamma klippande med ögonlocken. Och när någon på scenen vill tala med ögonen, har han endast den dåliga utvägen att se rakt ut på publiken, med vilken han eller hon då träder i direkt korrespondens utanför draperiets ram, och vilket oskick med rätt eller orätt kallas att "hälsa på bekanta"!

Skulle icke tillräckligt starkt sidoljus (med paraboler eller sådant) kunna skänka skådespelaren denna nya resurs: att stärka mimiken med ansiktets största tillgång: ögonspelet?

Några illusioner om att få skådespelaren att spela för publiken och icke med den har jag knappt, ehuru detta vore ett önskemål. Jag drömmer icke om att få se hela ryggen på aktören en hel viktig scen igenom, men jag önskar livligt att avgörande scener icke ges vid sufflörluckan som duetter, avsedda att applåderas, utan jag ville ha dem utförda på angiven plats i situation. Alltså inga revolutioner utan bara små modifikationer, ty att få scenen till ett rum där fjärde väggen är borta, och alltså en del möbler vända ryggen åt salongen, lär väl tillsvidare verka störande.

När jag så vill tala om grimeringen, vågar jag icke hoppas bli hörd av damerna, som hellre vilja vara sköna än sannolika. Men skådespelaren kunde ju betänka, om det är fördelaktigt för honom att vid grimeringen sätta en abstrakt karaktär på ansiktet, som blir sittande där likt en mask. Tänkom oss en herre, som med sot fixerar ett skarpt koleriskt drag mellan ögonen, och antagom att han så stadigvarande förgrymmad behöver le vid en replik. Vilken förfärlig grimas skall det ej bli? Och hur skall denna löspanna, blank som en biljardkula, kunna rynkas, när den gamle blir vred?

I ett modernt psykologiskt drama, där själens finaste rörelser skola speglas från ansiktet mera än genom gester och stoj, torde väl bäst vara att försöka med starkt sido-ljus på en liten scen och med skådespelare utan smink, eller åtminstone med minimum av det sistnämnda.

Skulle vi så slippa den synliga orkestern med dess störande lampsken och mot publiken vända ansikten; finge vi parketten höjd så, att åskådarens öga träffade högre än skådespelarens knäveck; kunde vi få bort

avant-scenerna (oxögonen) med deras flinande middags-
ätare och supererskor, och därtill fullt mörker i salongen
under representationen, samt först och sist en *liten* scen
och en *liten* salong, så skulle kanske en ny dramatik
uppkomma, och en teater åtminstone åter bli en anstalt
för de bildades nöje. Under väntan på denna teater få
vi väl skriva på lager och förbereda den repertoar som
komma skall.

Jag har gjort ett försök! Har det misslyckats, så är tid
nog att göra om försöket!

Personer

FRÖKEN JULIE, 25 år

JEAN, betjänt, 30 år

KRISTIN, kokerska, 35 år

Handlingen
i grevens kök, midsommarnatten

Sceneri

Ett stort kök, vars tak och sidoväggar döljas av dra-
perier och suffiter. Fondväggen drar sig snett inåt och
uppåt scenen från vänster; på densamma till vänster
två hyllor med koppar-, malm-, järn- och tennkärl;
hyllorna äro garnerade med gauffererat papper; något
till höger tre fjärdedelar av den stora välvda utgången
med två glasdörrar, genom vilka synes en fontän med
en amorin, syrenbuskar i blom och uppstickande pyra-
midpopplar.

Till vänster på scenen hörnet av en stor kakelspis
med ett stycke av kappan.

Till höger framskjuter ena ändan av tjänstefolkets
matbord av vit furu med några stolar.

Spisen är klädd med björklövsruskor; golvet strött
med enris.

På bordsändan en stor japansk kryddburk med
blommande syrener.

Ett isskåp, ett diskbord, ett tvättställ.

En stor gammaldags ringklocka ovanför dörren och ett talrör mynnande på vänstra sidan om densamma.

Kristin står vid spisen och steker i en stekpanna; hon är klädd i ljus bomullsklädning och har ett köksförkläde framför sig; Jean kommer in, klädd i livré, bärande ett par stora ridstövlar med sporrar, som han ställer ifrån sig på en synlig plats på golvet.

Jean   I kväll är fröken Julie galen igen; komplett galen!

Kristin   Så, är han här nu?

Jean   Jag följde greven till station, och när jag kom tillbaka förbi logen, gick jag in och dansade, och så får jag se fröken anföra dansen med skogvaktarn. Men när hon blir mig varse, rusar hon direkt på och bjuder opp mig till damernas vals. Och sen har hon valsat så — att jag aldrig varit med om dylikt. Hon är galen!

Kristin   Det har hon alltid varit, men aldrig så som de sista fjorton dagarna, sedan förlovningen slogs opp.

Jean   Ja, vad var det med den historien? Det var ju en fin karl, fast han icke var rik. Ack! de har så mycke choser för sig. *(Sätter sig vid bordsändan.)* Det är besynnerligt i alla fall, med en fröken, hm; att hellre vilja stanna hemma med folket, va?, än följa sin far bort till släktingar?

Kristin   Hon är väl likasom generad efter den där kalabaliken med fästmannen.

98

Jean Troligen! Men det var en karl för sin hatt i alla fall. Vet du, Kristin, hur det gick till? Jag såg det jag, fast jag inte ville låtsas om det.

Kristin Nej, såg han det?

Jean Jo, så gjorde jag. — De hölls på stallgårn en afton och fröken tränerade honom som hon kallade det — vet du hur det gick till? Jo, hon lät honom springa över ridspöet som en hund man lär hoppa. Han sprang två gånger och fick ett rapp för varje gång; men tredje gången tog han ridspöet ur handen på henne, bröt det i tusen bitar; och så försvann han.

Kristin Gick det till på det viset! Nej, vad han säger!

Jean Ja, så var det med den saken! — Men vad kan du nu ha för gott att ge mig, Kristin?

Kristin (lägger upp ur pannan och sätter för Jean) A, det är en smula njure bara, som jag skar ur kalvsteken!

Jean (luktar på maten) Skönt! Det är min stora *délice!* *(Känner på tallriken.)* Men du kunde ha värmt tallriken!

Kristin Han är då kinkigare än själva greven, när han sätter till. *(Drar honom smeksamt i håret.)*

Jean (ond) Nej, du får inte lugga mig! Du vet hur ömtålig jag är.

Kristin Så, så, det var bara kärlek vet han ju!
(Jean äter. Kristin drar upp en butelj öl.)

Jean Öl, på midsommarafton; nej, tack ska du ha! Då har jag bättre själv. *(Öppnar en bordslåda och tar fram en butlj rödvin med gult lack.)* Gula lacket, ser

99

du! — Ge mig nu ett glas! Ett fotglas förstås, när man dricker *pur!*

Kristin (återvänder till spisen och sätter på en liten kastrull) Gud bevare den som skulle få honom till man! En sån kinkblåsa!

Jean A prat! Du blev nog glad, om du fick en sån fin karl som jag; och jag tror inte du haft skada av att man kallar mig din fästman! *(Smakar vinet.)* Bra! mycket bra! Bara lite för lite tempererat! *(Värmer glaset med handen.)* Det här köpte vi i Dijon. Och det stod till fyra francs litern utan glas; och så kommer tullen till! — Vad kokar du nu? som luktar så infernaliskt!

Kristin A, det är något fanstyg, som fröken Julie skall ha åt Diana.

Jean Du ska uttrycka dig vårdat, Kristin! Men vad ska du stå och koka åt hundrackan på helgdagsafton? Är den sjuk, va?

Kristin Ja, den är sjuk! Hon har smugit sig ut med grindstugans mops — och nu är det på tok — och se, det vill inte fröken veta av.

Jean Fröken är allt högfärdig i somliga fall och för litet stolt i andra, alldeles som grevinnan i livstiden. Hon trivdes bäst i köket och lagårn, men hon ville aldrig åka efter *en* häst; hon gick med smutsiga manschetter, men skulle ha grevekronan i knapparna.
— Fröken, för att nu tala om henne, tar inte vara på sig och sin person. Jag skulle vilja säga, att hon inte är fin. Nyss när hon dansa på logen, så röck hon

skogvaktarn från Annas sida och bjöd opp honom själv. Inte skulle vi göra på det viset; men så är det när herrskap ska göra sig gemena — så bli de gemena! — Men ståtlig är hon! Praktfull! Ah! Såna axlar! och — etcetera!

Kristin A ja, skryt lagom! Jag har hört vad Clara säger jag, som har klätt henne.

Jean Asch, Clara! Ni är alltid avundsjuka på varann! Jag som har varit ute och ridit med henne ... Och så hon dansar sedan!

Kristin Hör nu, Jean! vill han inte dansa med mig, när jag blir färdig?

Jean Jo, naturligtvis vill jag det.

Kristin Lovar han det då?

Jean Lovar? När jag säger att jag gör det, så gör jag det! Nu ska du emellertid ha tack för mat. Det var mycket skönt! *(Slår korken i buteljen.)*

Fröken (i dörren, talar utåt) Jag är strax tillbaka! Gå på ni så länge!

Jean (smyger buteljen i bordslådan; reser sig aktningsfullt.)

Fröken (in; fram till Kristin vid spegeln) Nå! är du i ordning?

Kristin (tecknar att Jean är närvarande.)

Jean (galant) Är det hemligheter damerna ha för sig?

Fröken (slår honom i ansiktet med näsduken) Det är nyfiken!

Jean Ah, vad det luktade gott av den violetten!

Fröken (kokett) Oförskämt! Förstår han sig på parfymer också? Dansa, det kan han bra... så, inte titta! gå sin väg.

Jean (näsvist, artigt) Är det någon trollsoppa på midsommarnatten, som damerna koka? Någonting att spå med i lyckans stjärna, där man får se den tillkommande!

Fröken (skarpt) Får han se *den*, så ska han ha starka ögon! *(Till Kristin.)* Slå opp på en halvbutelj och korka väl. — Kom nu och dansa en schottisch med mig, Jean ...

Jean (dröjande) Jag vill inte vara oartig mot någon, men den här dansen hade jag lovat Kristin ...

Fröken Nå, hon kan ju få en annan; eller hur, Kristin? Vill du inte låna ut Jean åt mig?

Kristin Det beror inte på mig, det. Om fröken är så nedlåtande, så passar det sig inte att han säger nej. Gå han, bara! och tacka till för äran.

Jean Uppriktigt talat, men utan att vilja såra, så undrar jag ändå om det är klokt av fröken Julie att dansa två gånger efter varann med samma kavaljer, i synnerhet som det här folket inte är sent att ge tydningar ...

Fröken (brusar upp) Vad för slag? Vad för slags tydningar? Vad menar han?

Jean (undfallande) Efter fröken inte vill förstå, så måste jag tala tydligare. Det ser illa ut att föredra en av sina underhavande för andra som vänta samma ovanliga ära ...

Fröken Att föredra! Vilka tankar! Jag är förvånad!

102

Jag, husets härskarinna, hedrar folkets dans med min närvaro, och när jag nu verkligen vill dansa, så vill jag dansa med en som kan föra, så att jag slipper bli utsatt för löje.

Jean Som fröken befaller! Jag är till tjänst!

Fröken (blitt) Tag det inte så nu att jag befaller! I afton äro vi ju till fest som glada mänskor och lägga bort all rang! Så, bjud mig armen nu! — Var inte orolig, Kristin! Jag ska inte ta din fästman ifrån dig!

Jean (bjuder sin arm och för ut fröken.)

*

Pantomim. Spelas så som om skådespelerskan verkligen vore ensam i lokalen; vänder vid behov ryggen åt publiken; ser icke ut i salongen; brådskar icke som om hon vore rädd publiken skulle bli otålig.

Kristin (ensam. Svag fiolmusik på avstånd i schottischtakt.) Kristin gnolade efter musiken; dukar av efter Jean, diskar tallriken vid slaskbordet, torkar och ställer in i ett skåp. Därpå lägger hon av sig köksförklädet, tar fram en liten spegel ur en bordslåda, ställer den mot syrenkrukan på bordet; tänder ett talgljus och värmer en hårnål, varmed hon krusar håret i pannan.

Därpå ut i dörren och lyssnar. Återvänder till bordet. Hittar frökens kvarglömda näsduk, som hon tar och luktar på; sedan breder hon ut den, liksom i tankarne, sträcker den, slätar den och viker den i fyra delar o.s.v.

*

Jean (in ensam) Ja, men hon *är* galen! Ett sådant sätt att dansa! Och folket står och grinar åt henne bakom dörrarna. Vad säger du om det, Kristin?

Kristin Ack, det är ju hennes tider nu, och då är hon ju alltid så där konstig. Men vill han komma och dansa med mig nu?

Jean Du är väl inte ond på mig att jag mankerade ...

Kristin Inte! — Inte för så lite, det vet han nog; och jag vet min plats också ...

Jean (lägger handen om hennes liv) Du är en förståndig flicka, Kristin, och du skulle bli en bra hustru ...

Fröken (in; obehagligt överraskad; med tvungen skämtsamhet) Ni är just en charmant kavaljer — som springer ifrån er dam.

Jean Tvärtom, fröken Julie, som ni ser har jag skyndat uppsöka min övergivna!

Fröken (turnerar) Vet ni, att ni dansar som ingen! — Men varför går ni i livré på helgdagsafton! Tag av det där genast!

Jean Då måste jag be fröken avlägsna sig ett ögonblick, för min svarta rock hänger här ... *(Går åt höger med en gest.)*

Fröken Generar han sig för mig? För att byta en rock? Gå in till sig då och kom tillbaka! Annars kan han stanna, så vänder jag ryggen till.

Jean Med er tillåtelse, min fröken! *(Går åt höger; man ser hans arm när han byter rock.)*

Fröken (till Kristin) Hör, Kristin; är Jean din fästman, efter han är så förtrolig?

Kristin Fästman? Ja, om man så vill! Vi kallar det så.

Fröken Kallar?

Kristin Nå, fröken har ju själv haft fästman, och ...

Fröken Ja, vi voro förlovade riktigt ...

Kristin Men det blev ju till ingenting ändå ...

Jean (in i svart bonjour och svart melonhatt.)

Fröken Très gentil; monsieur Jean! Très gentil!

Jean Vous voulez plaisanter, madame!

Fröken Et vous voulez parlez français! Var har ni lärt det?

Jean I Schweiz, medan jag var sommelier på ett av de största hotellen i Luzern!

Fröken Men ni ser ju ut som en gentleman i den där redingoten! Charmant! *(Sätter sig vid bordet.)*

Jean Å, ni smickrar!

Fröken (stött) Smickrar honom?

Jean Min naturliga blygsamhet förbjuder mig tro att ni säger veritabla artigheter åt en sådan som mig, och därför tillät jag mig antaga att ni överdrev, eller som det kallas smickra!

Fröken Var har ni lärt er att lägga orden så där? Ni måtte ha besökt teatrarna mycket?

Jean Även det! Jag har besökt många ställen, jag!

Fröken Men ni är ju född här på trakten?

Jean Min far var statkarl hos advokatfiskalen här bredvid, och jag har nog sett fröken som barn, fastän fröken inte observerat mig!

Fröken Nej, verkligen.

Jean Jo, och jag minns särskilt en gång ... ja det kan

jag inte tala om!

Fröken Ajo! Gör det! Va? Så här undantagsvis!

Jean Nej, jag kan verkligen inte nu! En annan gång kanske.

Fröken En annan gång är en skälm. Är det så farligt nu?

Jean Farligt är det inte, men det tar emot! — Se på den då! *(Antyder Kristin, som har somnat i en stol vid spisen.)*

Fröken · Det blir en trevlig fru, det där! Kanske hon snarkar också?

Jean Det gör hon inte, men hon talar i sömnen.

Fröken (cyniskt) Hur vet ni att hon talar i sömnen?

Jean (fräckt) Jag har hört det!

(Paus, varunder de betrakta varandra.)

Fröken Varför sätter ni er inte ner?

Jean Det kan jag inte tillåta mig i er närvaro!

Fröken Men om jag befaller det?

Jean Då lyder jag!

Fröken Sitt ner då! — Men vänta! Kan ni ge mig något att dricka först?

Jean Jag vet inte vad vi kan ha här i islåren. Jag tror det bara är öl.

Fröken Det är inte bara det! och jag har så enkel smak att jag föredrar det för vin.

Jean (tar fram ur islåren en ölbutelj, som han drar upp; söker i skåpet ett glas och en tallrik samt serverar) Var så artig!

Fröken Tack! Vill ni inte dricka själv?

Jean Jag är just ingen ölvän, men om fröken befaller!

Fröken Befaller? — Jag tycker att som artig kavaljer kan ni hålla er dam sällskap.

Jean Det är mycket riktigt anmärkt! *(Slår upp en butelj, tar ett glas.)*

Fröken Drick min skål nu!

Jean (tvekande.)

Fröken Jag tror att gamla karlen är blyg!

Jean (på knä, skämtande parodiskt; höjande sitt glas) Min härskarinnas skål!

Fröken Bravo! — Nu skall ni kyssa min sko också, så är det riktigt träffat.

Jean (tvekande, men därpå djärvt fattande hennes fot, som han kysser lätt.)

Fröken Utmärkt! Ni skulle ha blivit aktör!

Jean (stiger upp) Detta går inte an längre! fröken; någon skulle kunna komma och se oss.

Fröken Vad skulle det göra?

Jean Att folket pratade, helt enkelt! Och om fröken visste hur deras tungor gick däroppe nyss, så . . .

Fröken Vad sade de för slag då! Tala om för mig! — Sitt ner nu!

Jean (sätter sig) Jag vill inte såra er, men de begagnade uttryck — som kastade misstankar av den art, att . . . ja det kan ni fatta själv! Ni är ju inte något barn, och när man ser en dam ensam drickande med en man — låt vara en domestik — om natten — — så . . .

Fröken Så vad! Och för övrigt äro vi icke ensamma. Kristin är ju här.

Jean   Sovande, ja!

Fröken   Då skall jag väcka henne. *(Reser sig.)* Kristin! Sover du?

Kristin (i sömnen)   Bla- bla- bla!

Fröken   Kristin! — Den kan sova!

Kristin (i sömnen)   Grevens stövlar är borstade — sätta på kaffe straxt, straxt, straxt — hå hå — puh!

Fröken (tar henne i näsan)   Vill du vakna opp!

Jean (strängt)   Inte störa den som sover!

Fröken (skarpt)   Va!

Jean   Den som har stått vid spisen hela dan kan vara trött när natten kommer. Och sömnen skall man respektera . . .

Fröken (turnerar)   Det är vackert tänkt, och det hedrar honom — tack för det! *(Räcker Jean handen.)* Kom nu ut och plocka lite syrener åt mig!

(Under det följande vaknar Kristin, går sömndrucken åt höger att lägga sig.)

Jean   Med fröken?

Fröken   Med mig!

Jean   Det går inte an! Absolut inte!

Fröken   Jag kan inte fatta era tankar. Skulle det vara möjligt att ni inbillade er något?

Jean   Nej, inte jag, men folket.

Fröken   Vad? Att jag vore verliebt i betjänten?

Jean   Jag är ingen inbilsk man, men man har sett exempel — och för folket är intet heligt!

Fröken   Han är aristokrat, tror jag!

Jean   Ja, det är jag.

Fröken Jag stiger ner . . .

Jean Stig inte ner, fröken, hör mitt råd! Det är ingen som tror att ni godvilligt stiger ner; folket kommer alltid säga att ni faller ner!

Fröken Jag har högre tankar om folket än ni! Kom och pröva! — Kom! *(Hon ruvar honom med ögonen.)*

Jean Vet ni att ni är underlig!

Fröken Kanske! Men det är ni också! — Allting är underligt för övrigt! Livet, mänskorna, allt, är en sörja som drivs, drivs fram på vattnet, tills den sjunker, sjunker! Jag har en dröm som återkommer då och då; och som jag erinrar mig nu. Jag sitter uppklättrad på en pelare och ser ingen möjlighet att komma ner; jag svindlar när jag ser ner, och ner måste jag, men jag har inte mod att kasta mig ner; jag kan inte hålla mig fast och jag längtar att få falla; men jag faller inte. Och ändå får jag ingen ro förr än jag kommer ner, ingen vila förrän jag kommer ner, ner på marken! Och komme jag ner på marken ville jag ner i jorden . . . Har ni känt något sådant?

Jean Nej! Jag brukar drömma att jag ligger under ett högt trä i en mörk skog. Jag vill opp, opp i toppen och se mig omkring över det ljusa landskapet, där solen skiner, plundra fågelbot däroppe, där guldäggen ligga. Och jag klättrar och klättrar, men stammen är så tjock, så slät, och det är så långt till första grenen. Men jag vet att nådde jag bara första grenen, skulle jag gå i toppen som på en stege. Ännu har jag inte nått den, men jag skall nå den, om det bara så skall bli i drömmen!

Fröken Här står jag och pratar om drömmar med er. Kom nu! Bara ut i parken! *(Hon bjuder honom armen, och de gå.)*

Jean Vi ska sova på nio midsommarsblomster i natt, så bli vi sanndrömmade! fröken!

(Fröken och Jean vända i dörren. Jean håller handen för ena ögat.)

Fröken Får jag se vad ni fått i ögat!

Jean Å, det är ingenting — bara ett smolk — det går straxt över.

Fröken Det var min klädningsärm som skrubbade er; sitt ner nu, så ska jag hjälpa er! *(Tar honom i armen och sätter honom, fattar hans huvud och lutar det bakåt; med snibben av näsduken söker hon få ut smolket.)* Sitt still nu, alldeles still! *(Slår honom över handen.)* Så! vill han lyda! — Jag tror han darrar, stora, starka karlen! *(Känner på hans överarm.)* Med sådana armar!

Jean (varnande) Fröken Julie!

Fröken Ja, monsieur Jean.

Jean Attention! Je ne suis qu'un homme!

Fröken Vill han sitta stilla! — Så där! Nu är det borta! Kyss min hand, och tacka mig!

Jean (stiger upp) Fröken Julie! Hör på mig! — Nu har Kristin gått och lagt sig! — Vill ni höra på mig!

Fröken Kyss min hand först!

Jean Hör på mig!

Fröken Kyss min hand först!

Jean   Ja, men skyll er själv!

Fröken   För vad?

Jean   För vad? Är ni ett barn vid tjugofem år? Vet ni inte att det är farligt leka med elden?

Fröken   Inte för mig; jag är assurerad!

Jean (djärvt)   Nej, det är ni inte! Och om ni är det, så finns det eldfarlig inrättning i grannskapet!

Fröken   Det skulle vara ni?

Jean   Ja! Inte därför att det är jag, utan därför att jag är en ung man —

Fröken   Med fördelaktigt utseende — vilken otrolig inbilskhet! En Don Juan kanske! Eller en Josef! Jag tror, min själ, att han är en Josef!

Jean   Tror ni?

Fröken   Jag fruktar nästan!

(Jean djärvt fram och vill ta henne om livet för att kyssa henne.)

Fröken (slår honom en örfil)   Hut!

Jean   Är det allvar eller skämt?

Fröken   Allvar!

Jean   Då var det också allvar nyss! Ni leker alldeles för allvarsamt och det är det farliga! Nu är jag trött på leken och ber om ursäkt att jag återgår till mitt arbete. Greven skall ha sina stövlar i tid, och midnatten är längesen förbi.

Fröken   Ställ bort stövlarna!

Jean   Nej! Det är min tjänst, som jag är skyldig göra, men jag har aldrig åtagit mig att vara er lekkamrat, och jag kan aldrig bli, ty jag håller mig för god till det.

Fröken   Ni är stolt!

Jean   I vissa fall; i andra fall inte.

Fröken   Har ni älskat någonsin?

Jean   Vi begagna inte det ordet, men jag har hållit av många flickor, och en gång har jag varit sjuk av att jag icke kunde få den jag ville ha: sjuk, ser ni, som prinsarna i Tusen och en natt! som inte kunde äta eller dricka av bara kärlek!

Fröken   Vem var det?

(Jean tiger.)

Fröken   Vem var det?

Jean   Det kan ni inte tvinga mig att säga.

Fröken   Om jag ber som en jämlike, ber en — vän! Vem var det!

Jean   Det var ni!

Fröken (sätter sig)   Så kostligt ...!

Jean   Ja, om ni så vill! Det var löjligt! — Ser ni, det var den historien jag inte ville berätta nyss, men nu ska jag förtälja den!

Vet ni hur världen ser ut därnerifrån — det vet ni inte! Som hökar och falkar, dem man sällan får se på ryggen för att de mest sväva däroppe! Jag levde i statstugan med sju syskon och en gris ute på gråa åkern, där det inte växte ett träd! Men ifrån fönstren såg jag grevens parkmur med äppelträden ovanför. Det var paradisets lustgård; och där stodo många onda änglar med brinnande svärd och bevakade den. Men icke desto mindre hittade jag och andra pojkar vägen till livsens träd — nu föraktar ni mig?

112

Fröken Ah! Stjäla äpplen gör ju alla pojkar.

Jean Det kan ni säga nu, men ni föraktar mig i alla fall! Likagott! En gång kom jag in i lustgården med min mor för att rensa löksängarna. Bredvid trädgårdslanden stod en turkisk paviljong i skuggan av jasminer och överväxt med kaprifolium. Jag visste inte vad den kunde brukas till, men jag hade aldrig sett en så vacker byggnad. Folk gick där in och kom ut igen, och en dag stod dörren lämnad öppen. Jag smög dit och såg väggarna klädda med tavlor av kungar och kejsare, och det var röda gardiner för fönstren med fransar på — nu förstår ni vad jag menar. Jag — — — *(Bryter en syrenblomma och håller den under näsan på fröken.)* — jag hade aldrig varit inne i slottet, aldrig sett annat än kyrkan — men det här var vackrare; och hur mina tankar lupo, så gingo de alltid tillbaka — dit. Och så småningom uppstod en längtan att en gång erfara hela behaget av — enfin, jag smög därin, såg och beundrade. Men då kommer det någon! Det fanns bara en utgång för herrskapsfolk, men för mig fanns det en till, och jag hade inte annat än att välja den! *(Fröken som tagit syrenen, låter den falla på bordet.)*

Jean Därpå satte jag till att springa, störtade igenom en hallonhäck, rusade över ett jordgubbsland, och kom upp på rosenterrassen. Där fick jag se en skär klädning och ett par vita strumpor — det var ni. Jag lade mig ner under en ogräshög, under kan ni tänka er, under tistlar som stuckos, och våt jord som luktade

113

illa. Och jag såg på er när ni gick i rosorna, och jag tänkte: om det är sant att en rövare kan komma in i himmelen och bli med änglarna, så är det underligt att inte ett statbarn här på Guds jord kan komma in i slottsparken och leka med grevens dotter!

Fröken (elegiskt) Tror ni att alla fattiga barn haft samma tankar som ni i detta fall?

Jean (först tvekande, sedan övertygande) Om *alla* fattiga — ja — naturligtvis! Naturligtvis!

Fröken Det måtte vara en gränslös olycka att vara fattig!

Jean (med djup smärta, starkt chargerat) A, fröken Julie! Å! — En hund kan få ligga i grevinnans soffa, en häst kan bli smekt på nosen av en frökenhand, men en dräng — *(Turnerar)* — jaja, det finns stoff hos en och annan, så att han svingar sig opp i världen, men hur ofta är det! — Emellertid, vet ni vad jag så gjorde! — Jag sprang ner i kvarnbäcken med kläderna på; blev uppdragen och fick stryk. Men nästa söndag, när far och alla i huset foro bort till mormors, så lagade jag att jag blev hemma. Och så tvättade jag mig med såpa och varmt vatten, tog på mig mina bästa kläder och gick till kyrkan, där jag skulle få se er! Jag såg er och gick hem, besluten att dö; men jag ville dö vackert och behagligt, utan smärta. Och då erinrade jag mig att det var farligt sova under en fläderbuske. Vi hade en stor en, som just stod i blom. Den skattade jag på allt vad den ägde, och så bäddade jag i havrelåren. Har ni märkt hur glatt havre är?

mjuk för handen som en mänskohud ...! Emellertid slog jag igen locket och blundade; somnade in och väcktes verkligen mycket sjuk. Men jag dog inte, som ni kan se.

Vad jag ville — det vet jag inte! Er fanns ju intet hopp att vinna — men ni var ett tecken på, hur hopplöst det var att komma opp ur den krets där jag var född.

Fröken Ni berättar charmant, vet ni! Har ni gått i skola?

Jean Litet; men jag har läst mycket romaner och gått på teatrarna. Dessutom har jag hört fint folk tala, och av dem har jag lärt mest.

Fröken Står ni och lyssnar på vad vi säga!

Jean Ja visst! Och jag har hört mycket, jag! när jag suttit på kuskbocken eller rott båten. En gång hörde jag fröken Julie och en väninna ...

Fröken A! — Vad hörde ni då för slag?

Jean Jaha, det vore inte så gott att säga; men nog blev jag lite förvånad, och inte förstod jag varifrån ni lärt alla ord. Kanske i botten det inte är så stor skillnad, som man tror, mellan mänskor och mänskor!

Fröken A skäms! Inte lever vi som ni, när vi är fästfolk.

Jean (fixerar henne) Är det säkert det? — Ja, för mig är det inte värt att fröken gör sig oskyldig ...

Fröken Det var en usling, som jag skänkte min kärlek.

Jean Det säger ni alltid — efteråt.

Fröken Alltid?

Jean Jag tror alltid efter som jag har hört uttrycket

115

flera gånger förut vid enahanda tillfälle.

Fröken Vad för tillfälle.

Jean Som ifrågavarande! Sista gången ...

Fröken (stiger upp) Tyst! Jag vill inte höra mer!

Jean Det ville inte *hon* heller -- det är märkvärdigt. Nå, då ber jag att få gå och lägga mig.

Fröken (blitt) Gå och lägga sig på midsommarnatten!

Jean Ja! Att dansa med packet däroppe roar mig verkligen inte.

Fröken Tag nyckeln till båten och ro mig ut på sjön; jag vill se soluppgången!

Jean Är det klokt?

Fröken Det låter som om ni skulle vara rädd om ert rykte!

Jean Varför inte? Jag vill ogärna bli löjlig, ogärna bli bortkörd utan betyg, när jag skall etablera mig. Och jag tycker jag har en viss skyldighet mot Kristin.

Fröken Jaså, det är Kristin nu ...

Jean Ja, men det är även ni. — Lyd mitt råd, och gå opp och lägg er!

Fröken Ska jag lyda er?

Jean För en gång; för er egen skull! Jag ber er! Natten är framskriden, sömnen gör drucken, och huvut blir hett! Gå och lägg er! För övrigt — om jag inte hör orätt — kommer folket hitåt för att söka mig! Och finner man oss här, är ni förlorad!

(Kören nalkas sjungande:)

116

Det kommo två fruar från skogen
Tridiridi-ralla tridiridi-ra.
Den ena var våt om foten
Tridiridi-ralla-la.

De talte om hundra riksdaler
Tridiridi-ralla tridiridi-ra.
Men ägde knappast en daler
Tridiridi-ralla-la.

Och kransen jag dig skänker
Tridiridi-ralla tridiridi-ra.
En annan jag påtänker
Tridiridi-ralla-la.

Fröken Jag känner folket, och jag älskar det, liksom
de hålla av mig. Låt dem komma skall ni se!

Jean Nej, fröken Julie, de älska er icke. De ta er mat,
men de spotta efter den! Tro mig! Hör på dem, hör
på dem bara vad de sjunger! — Nej, hör inte på dem!

Fröken (lyss) Vad sjunger de?

Jean Det är en nidvisa! Om er och mig!

Fröken Infamt! A, fy! Och så lömskt! —

Jean Packet är alltid fegt! Och i den striden kan man
endast fly!

Fröken Fly? Men vart? Ut kommer vi inte! Och till
Kristin kan vi inte gå!

Jean Så! In till mig då? Nöden har ingen lag; och på
mig kan ni lita, ty jag är er verkliga, uppriktiga och

vördnadsfulla vän!

Fröken Men tänk! — tänk om man söker er där?

Jean Jag riglar dörren, och vill man bryta sig in, så skjuter jag! — Kom! *(På knä.)* Kom!

Fröken (betydelsefullt) Lovar ni mig . . .?

Jean Jag svär!

(Fröken ut hastigt till höger. Jean häftigt efter.)

*

Balett. *Bondfolket in högtidsklädda, med blommor i hattarna; en fiolspelare i spetsen; en ankare svagdricka och en kutting brännvin, sirade med grönt, läggas upp på bordet; glas tagas fram. Därpå drickes. Sedan tar man i ring och sjunger och dansar dansleken: "Det kommo två fruar från skogen."*
När detta är gjort, gå de igen sjungande.

*

(Fröken in ensam; ser förödelsen i köket; slår ihop händerna; därpå tar hon upp en pudervippa och pudrar sitt ansikte.)

Jean (in; exalterad) Där ser ni! Och ni har hört! Anser ni det möjligt att stanna här?

Fröken Nej! Det anser jag inte? Men vad skola vi så göra!

Jean Fly, resa, långt härifrån!

Fröken Resa? Ja, men vart?

Jean Till Schweiz, till italienska sjöarna; där har ni aldrig varit?

Fröken Nej! Är det vackert där?

Jean Å, en evig sommar, oranger, lagrar, å!

Fröken Men vad ska vi sedan göra där?

Jean Där sätter jag opp ett hotell med första klassens varor och första klassens kunder.

Fröken Hotell?

Jean Det är ett liv skall ni tro; oupphörligt nya ansikten, nya språk; inte en minuts ledighet till grubbel eller nerver; intet letande efter sysselsättning — då arbetet ger sig själv: natt och dag klockan som ringer, tåget som blåser, omnibussen som kommer och går; under det guldstyckena rulla på byrån. Det är ett liv!

Fröken Ja, det är att leva! Och jag?

Jean Husets härskarinna; firmans prydnad. Med ert utseende . . . och ert sätt — å — det är en given succès! Kolossal! Ni sitter som en drottning på kontoret och sätter slavarna i rörelse med att trycka på en elektrisk knapp; gästerna defilera inför er tron och lägga blyga sin skatt på ert bord — ni kan aldrig tro vad mänskorna darra, när de få en räkning i sin hand — jag skall salta notorna och ni skall sockra på dem med ert vackraste leende — ack! låt oss resa härifrån — *(Tar upp en kommunikationstabell ur fickan.)* — Genast, med nästa tåg! — vi äro i Malmö klockan sex och trettio; Hamburg åtta och fyrtio i morgon tidigt; Frankfurt-Basel en dag, och i Como genom Gotthardsbanan om, låt mig se, tre dar. Tre dar!

Fröken Allt det där är bra! Men, Jean — du skall ge mig mod — Säg att du älskar mig! Kom och omfamna mig!

Jean (tvekande) Jag vill — men jag törs inte! Inte här i huset mer. Jag älskar er — utan tvivel — kan ni tvivla på det?

Fröken (blygt, sant kvinnligt) Ni! — Säg du! Mellan oss finns inga skrankor mer! -- Säg du!

Jean (plågad) Jag kan inte! — Det finns skrankor mellan oss ännu, så länge vi vistas i detta hus — det finns det förflutna, det finns greven — och jag har aldrig träffat någon person, som jag har sådan respekt för — jag behöver bara se hans handskar ligga på en stol, så känner jag mig liten — jag behöver bara höra klockan däroppe, så far jag ihop som en skygg häst — och när jag nu ser hans stövlar stå där så raka och kavata, så drar det i ryggen på mig! *(Sparkar till stövlarna.)* Vidskepelse, fördomar, som man har lärt oss från barndomen — men som man kan glömma lika lätt. Kom till ett annat land bara, där det är republik, och man står på näsan för min portiers livré — på näsan *ska* man stå, se! men *jag* ska det inte! Jag är inte född till att stå på näsan, för det finns stoff i mig, det finns karaktär, och bara jag får fatt i första grenen, ska ni se mig klättra! Jag är betjänt i dag, men nästa år är jag proprietär, om tio år är jag rentier, och sedan reser jag till Rumänien, låter dekorera mig, och kan — märk väl jag säger *kan* — sluta som greve!

Fröken Vackert, vackert!

Jean Ah, i Rumänien köper man sig grevetiteln, och så blir ni grevinna likafullt! Min grevinna!

Fröken   Vad bryr jag mig om allt det där, som jag nu kastar bakom mig! — Säg att du älskar mig, eljes — ja, vad är jag eljes?

Jean   Jag skall säga det, tusen gånger — sedan! Bara inte här! Och framför allt, inga känslor, om icke allt skall vara förlorat! Vi måste ta saken kallt, som kloka mänskor. *(Tar upp en cigarr, snoppar och tänder den.)* Sitt nu ner där! så sätter jag mig här, och så språka vi, som om ingenting skulle ha inträffat.

Fröken (förtvivlad)   O, min Gud! Har ni då inga känslor!

Jean   Jag! Det finns ingen människa så känslofull som jag; men jag kan lägga band på mig.

Fröken   Nyss kunde ni kyssa min sko — och nu!

Jean (hårt)   Ja, det var då! Nu ha vi annat att tänka på.

Fröken   Tala inte hårt till mig!

Jean   Nej, men klokt! En dårskap är begången, begå inte fler! Greven kan vara här när som helst och innan dess måste våra öden vara avgjorda. Vad synes er om mina planer för framtiden? Gillar ni dem?

Fröken   De synas mig rätt antagliga, men blott en fråga: till ett så stort företag fordras stort kapital; har ni det?

Jean (tuggar cigarren)   Jag! Helt visst! Jag har mina fackkunskaper, min oerhörda erfarenhet, min språkkännedom! Det är kapital som duger, vill jag tro!

Fröken   Men för det kan ni inte ens köpa en järnvägsbiljett.

Jean   Det är visserligen sant; men det är därför jag

söker en förlagsman, som kan försträcka fonderna!

Fröken Var finner ni den i hast?

Jean Den skall ni finna, om ni vill bli min kompanjon!

Fröken Det kan jag inte, och jag äger intet själv.

(*Paus.*)

Jean Då förfaller hela saken . . .

Fröken Och . . .

Jean Det blir som det är!

Fröken Tror ni jag stannar under detta tak som er frilla? Tror ni att jag vill låta folket peka fingret åt mig; tänker ni att jag kan se min far i ansiktet efter detta? Nej! För mig bort härifrån, från förnedringen och vanäran! — O, vad har jag gjort, min Gud, min Gud! (*Gråter.*)

Jean Se så, börjar det nu på den låten! — Vad ni har gjort? Detsamma som mången före er!

Fröken (skriker i krampanfall) Och nu föraktar ni mig! — Jag faller, jag faller!

Jean Fall ner till mig, så skall jag lyfta er sedan!

Fröken Vilken förfärlig makt drog mig till er? Den svages till den starke? Den fallandes till den stigandes! Eller var det kärlek? Kärlek detta? Vet ni vad kärlek är?

Jean Jag? Jo, det vill jag lova; tror ni inte jag varit med förr?

Fröken Vilket språk ni talar, och vilka tankar ni tänker!

Jean Så har jag lärt, och sådan är jag! Var nu inte nervös och spela inte fin, för nu äro vi lika goda kålsupare! — Se så, min flicka lilla, kom så ska jag bjuda dig på ett glas extra!

(Öppnar bordslådan och tar fram vinbuteljen; fyller två begagnade glas.)

Fröken Var har ni fått det där vinet ifrån?

Jean Från källarn!

Fröken Min fars bourgogne!

Jean Duger det inte åt mågen?

Fröken Och jag dricker öl! Jag!

Jean Det visar bara att ni har sämre smak än jag.

Fröken Tjuv!

Jean Tänker ni skvallra?

Fröken Å, å! Medbrottsling till en hustjuv! Har jag varit rusig, har jag gått i drömmen denna natt? Midsommarnatten! De oskyldiga lekarnes fest . . .

Jean Oskyldiga, hm!

Fröken *(går fram och åter)* Finns det någon människa på jorden i denna stund, som är så olycklig som jag!

Jean Varför är ni det? Efter en sådan erövring! Tänk på Kristin därinne! Tror ni inte att hon också har känslor!

Fröken Jag trodde det nyss, men jag tror det inte mer! Nej, dräng är dräng . . .

Jean Och hora är hora!

Fröken *(på knä med knäppta händer)* O, Gud i himmelen, gör slut på mitt eländiga liv! Tag mig bort från denna smuts, som jag sjunker i! Rädda mig! Rädda mig!

Jean Jag kan inte neka att det gör mig ont om er! När

jag låg i löksängen och såg er i rosengården, så ...
jag ska säga det nu ... hade jag samma fula tankar
som alla pojkar.

Fröken Och ni som ville dö för mig!

Jean I havrelårn? Det var bara prat.

Fröken Lögn således!

Jean (börjar bli sömnig) Närapå! Historien har jag
visst läst i en tidning om en sotare, som lade sig i en
vedlår med syrener, därför att han blev stämd för
barnuppfostringshjälp ...

Fröken Jaså, ni är sådan ...

Jean Vad skulle jag hitta på; det ska ju alltid vara på
grannlåter man fångar fruntimmer!

Fröken Usling!

Jean Merde!

Fröken Och nu har ni sett höken på ryggen ...

Jean Inte precis på *ryggen* ...

Fröken Och jag skulle bli första grenen ...

Jean Men grenen var rutten ...

Fröken Jag skulle bli skylten på hotellet ...

Jean Och jag hotellet ...

Fröken Sitta innanför er disk, locka era kunder, för-
falska era räkningar ...

Jean Det skulle jag själv ...

Fröken Att en människosjäl kan vara så djupt smutsig!

Jean Tvätta'n då!

Fröken Lakej, domestik, stig upp när jag talar!

Jean Domestik-frilla, lakej-slinka, håll mun och gå ut
härifrån. Skall du komma och förehålla mig att jag

är rå? Så rått som du uppfört dig i afton har aldrig någon av mina vederlikar uppfört sig. Tror du att någon piga antastar manfolk som du? Har du sett någon flicka av min klass bjuda ut sig på det sättet? Sådant har jag bara sett bland djur och fallna kvinnor!

Fröken (krossad) Det är rätt; slå mig; trampa mig; jag har icke förtjänat bättre. Jag är en usling; men hjälp mig! Hjälp mig ut ur detta, om det finns någon möjlighet!

Jean (blidare) Jag vill inte skämma ut mig med att avstå min andel i hedern att ha förfört; men tror ni att en person i min ställning skulle ha vågat att kasta ögonen upp till er, om ni ej själv skickat inbjudningen! Jag sitter ännu förvånad . . .

Fröken Och stolt . . .

Jean Varför inte? Ehuru jag må bekänna att segern var mig för lätt för att egentligen kunna ge något rus.

Fröken Slå mig mera!

Jean (reser sig) Nej! Förlåt mig i stället för vad jag sagt! Jag slår icke en avväpnad och allra minst ett fruntimmer. Jag kan inte neka till att det å ena sidan gläder mig ha fått se att det bara var kattgull som bländat oss därnere, att ha fått se att höken bara var grå på ryggen också, att det var puder på den fina kinden, och att det kunde vara svarta kanter på de slipade naglarne, att näsduken var smutsig, fastän den luktade parfym . . .! men det pinar mig å andra sidan ha sett att det jag själv strävade till, icke var någon högre, solidare; det pinar mig se er sjunken så djupt, att ni är långt under er kokerska; det pinar mig som att se höstblommorna piskas sönder av regnet och förvandlas i smuts.

Fröken   Ni talar som ni redan stode över mig?

Jean   Det gör jag också: ser ni jag skulle kunna förvandla er till grevinna, men ni kan aldrig göra mig till greve.

Fröken   Men jag är född av en greve, och det kan aldrig ni bli!

Jean   Det är sant: men jag skulle kunna föda grevar — om ...

Fröken   Men ni är en tjuv; det är inte jag.

Jean   Tjuv är icke det värsta! Det finns sämre sort! Och för övrigt: när jag tjänar i ett hus, anser jag mig på visst sätt som medlem av familjen, som barn i huset, och man räknar icke det för stöld att barnen snatta ett bär av fulla buskar. *(Hans passion vaknar upp igen.)* Fröken Julie, ni är en härlig kvinna, alldeles för god åt en sådan som mig! Ni har varit rov för en berusning, och ni vill dölja felet genom att inbilla er att ni älskar mig! Det gör ni inte, om inte möjligen mitt yttre lockar er — och då är er kärlek inte bättre än min — men jag kan aldrig nöja mig med att vara blotta djuret åt er, och er kärlek kan jag aldrig väcka.

Fröken   Är ni säker på det?

Jean   Ni vill säga att det kan gå för sig! — Att jag skulle kunna älska er, ja, utan tvivel! Ni är skön, ni är fin —

126

(Nalkas henne och fattar hennes hand) — bildad, älskvärd, när ni vill, och den mans låga ni har väckt slocknar troligen aldrig. *(Lägger armen om hennes liv.)* Ni är som glödgat vin med starka kryddor, och en kyss av er ... *(Han söker föra henne ut; men hon sliter sig sakta lös.)*

Fröken Lämna mig! — Inte på det sättet vinner ni mig!

Jean Hur då? — Inte på det sättet! Inte smekningar och vackra ord; inte omtanke om framtiden, räddning ur förnedring! *Hur* då?

Fröken Hur? Hur? Jag vet inte? — Inte alls! — Jag avskyr er som jag avskyr råttor, men jag kan inte fly er!

Jean Fly med mig!

Fröken *(rätar på sig)* Fly? Ja, vi ska fly! — Men jag är så trött! Ge mig ett glas vin! *(Jean slår i vin.)*

Fröken *(ser på sitt ur)* Men vi ska tala först; vi ha ännu lite tid på oss. *(Dricker ett glas; räcker fram glaset efter mer.)*

Jean Drick inte så omåttligt, ni blir rusig!

Fröken Vad skulle det göra?

Jean Vad det skulle göra? Det är simpelt att berusa sig! — Vad ville ni säga mig nu?

Fröken Vi ska fly! Men vi ska tala först, det vill säga, jag skall tala, för det är bara ni som talat hittills. Ni har berättat ert liv, nu vill jag berätta mitt, så känna vi varandra i botten, innan vi börja vandringen tillsammans.

Jean Ett ögonblick! Förlåt! Tänk efter, om ni inte ångrar er efteråt, då ni givit ert livs hemligheter till pris!

Fröken Är ni inte min vän?

Jean Jo ibland! Men lita inte på mig.

Fröken Ni säger så bara; — och för övrigt: mina hemligheter känner eljes var man. — Ser ni, min mor var av ofrälse härkomst, något mycket enkelt. Hon var uppfostrad i sin tids läror om jämlikhet, kvinnans frihet och allt det där; och hon hade en avgjord ovilja för äktenskapet. När därför min far friade till henne, svarade hon att hon aldrig ville bli hans hustru, men ... så blev hon det ändå. Jag kom till världen — mot min mors önskan efter vad jag kunnat förstå. Nu skulle jag av min mor uppfostras till ett naturbarn och till på köpet få lära allt vad en gosse får lära, att jag skulle bli ett exempel på, huru kvinnan var lika god som mannen. Jag fick gå i gosskläder, lära mig sköta hästar, men icke gå i lagårn; jag måste rykta och sela på och gå på jakt, ja till och med försöka lära jordbruk! Och på gården sattes männen till kvinnosysslor, och kvinnor till manssysslor — med den påföljd, att egendomen höll på att gå under, och vi blevo till åtlöje på trakten. Slutligen måtte min far ha vaknat ur förtrollningen och han gjorde revolt, så att allt ändrades efter hans önskan. Min mor blev sjuk — vilken sjukdom det var, vet jag inte — men hon hade ofta kramp, gömde sig på vinden och i trädgården, och kunde bli ute hela natten. Så inträffade den stora eldsvådan som ni hört omtalas. Huset, stallet och ladugården brunno av, och det under omständigheter som läto misstänkta mordbrand, ty olyckan inträffade dagen efter assuranskvartalets utgång, och premierna, som insänts av min far, blevo genom budets slarv fördröjda, så att de ej hunno fram i rättan tid. *(Hon fyller glaset och dricker.)*

Jean Drick inte mer!

Fröken Å, vad gör det! — Vi stodo på bar backe och måste sova i vagnarna. Min far visste icke var han skulle få pengar till husens uppbyggande. Då inger mor honom det rådet att söka låna av en ungdomsvän till henne, en tegelfabrikant här i närheten. Far lånar, men får icke betala någon ränta, vilket förvånade honom. Och så blev gården uppbyggd! — *(Dricker igen.)* Vet ni vem som bränt av gården?

Jean Er fru mor!

Fröken Vet ni vem tegelfabrikanten var?

Jean Er mors älskare?

Fröken Vet ni vems pengarna voro?

Jean Tyst lite — nej, det vet jag inte?

Fröken Det var min mors!

Jean Grevens alltså, om det icke var paktum?

Fröken Det fanns intet paktum! — Min mor hade en liten förmögenhet, som hon icke ville ha under min fars förvaltning, och därför satte hon in dem hos — vännen.

Jean Som knep dem!

Fröken Alldeles riktigt! Han behöll dem! — Detta allt

kommer till min fars kännedom; han kan inte göra process, inte betala sin hustrus älskare, inte bevisa att det är hustruns pengar! — Det var min mors hämnd för att han tog väldet i huset. — Den gången höll han på att skjuta sig! — det gick rykten att han gjort det och misslyckats! Men han lever opp, och min mor får umgälla sina handlingar! Det var fem år för mig, må ni tro! Jag sympatiserade med min far, men jag tog dock parti för min mor, emedan jag icke kände omständigheterna. Av henne hade jag lärt misstro och hat mot mannen — ty hon hatade manfolk efter vad ni hört — och jag svor henne, att aldrig bli en mans slavinna.

Jean Och så förlovade ni er med kronofogden!

Fröken Just därför, att han skulle bli min slav.

Jean Och det ville han inte?

Fröken Han ville nog, men han fick inte! Jag ledsnade på honom!

Jean Jag såg det — på stallgårn?

Fröken Vad såg ni?

Jean Det jag såg — hur han slog opp förlovningen.

Fröken Det är lögn! Det var jag som slog upp! Han har sagt att det var han, den uslingen?

Jean Det var nog ingen usling! Ni hatar manfolk fröken?

Fröken Ja! — För det mesta! Men ibland — när svagheten kommer, å fy!

Jean Ni hatar mig också?

Fröken Gränslöst! Jag skulle vilja låta döda er som

ett djur ...

Jean Som inan skyndar sig att skjuta en galen hund. Inte så?

Fröken Just så!

Jean Men nu finns ingenting att skjuta med — och inte någon hund! Vad ska vi då göra?

Fröken Resa!

Jean För att pina ihjäl varandra?

Fröken Nej — för att njuta, två dar, åtta dar, så länge man kan njuta, och så — dö ...

Jean Dö? Så dumt! Då tycker jag det är bättre sätta upp hotell!

Fröken (utan att höra Jean) — vid Comosjön, där solen alltid skiner, där lagerträden grönska om julen och orangerna glöda.

Jean Comosjön är en regnhåla, och jag såg inga oranger där annat än i kryddbodarna; men det är en god främlingsort, för det finns mycket villor som ut- hyras åt älskande par, och det är en mycket tacksam industri — vet ni varför —? Jo, de göra hyreskontrak- tet på halvår — och så resa de efter tre veckor!

Fröken (naivt) Varför efter tre veckor?

Jean De bli osams förstås! men hyran ska betalas likafullt! Och så hyr man ut igen. Och så går det undan för undan, för kärleken räcker till — fastän den inte varar så länge!

Fröken Ni vill inte dö med mig?

Jean Jag vill inte dö alls! Emedan jag både tycker om att leva och därför att jag anser självmord vara ett

131

brott emot försynen, som har gett oss livet.

Fröken Ni tror på Gud, *ni?*

Jean Ja visst gör jag det! Och jag går i kyrkan varannan söndag. — Uppriktigt talat, nu är jag trött på det här, och nu går jag och lägger mig.

Fröken Jaså, och ni tror att jag låter mig nöja med det? Vet ni vad en man är skyldig en kvinna som han skämt?

Jean (tar opp portemonnän och kastar ett silvermynt på bordet) Var så god! Jag vill inte vara skyldig något!

Fröken (utan att låtsas märka skymfen) Vet ni vad lagen stadgar ...

Jean Tyvärr stadgar inte lagen något straff för kvinna som förför man!

Fröken Ser ni någon annan utväg än att vi resa, viga oss och skiljas?

Jean Och om jag vägrar att ingå mésalliancen?

Fröken Mésalliancen ...

Jean Ja, min! Ser ni: jag har finare anor än ni, för jag har ingen mordbrännerska i min släkt!

Fröken Kan ni veta det?

Jean Ni kan inte veta motsatsen, för vi hålla inga stamtavlor — annat än i polisen! Men er stamtavla har jag läst om i en bok på salongsbordet. Vet ni vem er stamfar var? Det var en mjölnare, hos vars hustru kungen fick sova en natt under danska kriget. Såna anor har inte jag! Jag har inte alls några anor, men jag kan bli en ana själv!

Fröken Det har jag för att jag öppnade mitt hjärta

för en ovärdig, för att jag givit min familjs ära . . .

Jean Vanära! — Ja ser ni, jag sa det! Man ska inte dricka, för då pratar man! Och man *ska* inte prata!

Fröken O, vad jag ångrar mig! — Vad jag ångrar mig! — Och om ni åtminstone älskade mig!

Jean För sista gången — vad menar ni? Ska jag gråta, ska jag hoppa över ridspö, ska jag kyssa er, narra er till Comosjön på tre veckor, och så . . . vad ska jag? vad vill ni? detta börjar bli pinsamt! Men så är det att gå och sticka näsan i fruntimmersaffärer! Fröken Julie! Jag ser att ni är olycklig, jag vet att ni lider, men jag kan icke förstå er. Inte ha vi såna där choser för oss; inte ha vi något hat emellan oss! Vi älska som lek, när arbetet ger oss tid; men vi ha inte tid hela dan och hela natten som ni! Jag anser er vara sjuk; ni är bestämt sjuk.

Fröken Ni skall vara god emot mig, och nu talar ni som en människa.

Jean Ja, men var människa själv! Ni spottar på mig och ni tillåter inte att jag torkar av mig — på er!

Fröken Hjälp mig, hjälp mig; säg bara vad jag skall göra — vart jag ska ta vägen?

Jean I Jesu namn, om jag visste det själv!

Fröken Jag har varit rasande, jag har varit galen, men kan det då inte finnas någon räddning!

Jean Stanna och var lugn! Ingen vet något.

Fröken Omöjligt! Folket vet det och Kristin vet det!

Jean Det veta de icke, och de kunna aldrig tro något dylikt!

Fröken (dröjande)   Men — det kan ske en gång till!

Jean   Det är sant!

Fröken   Och följderna?

Jean (skrämd)   Följderna! — Var har jag haft mitt huvud att jag inte tänkt på det? Ja, då finns bara ett — härifrån! Genast! Jag följer er ej, ty då är allt förlorat, utan ni måste resa ensam — ut — vart som helst!

Fröken   Ensam? Vart? — Det kan jag inte!

Jean   Ni måste! Och det innan greven är tillbaka! Stannar ni, så vet vi hur det kommer att gå! Har man en gång felat, så vill man fortsätta, efter som skadan redan är skedd ... Så blir man djärvare och djärvare och — till sist står man där uppdagad! Alltså res! Skriv sedan till greven och bekänn allt, utom att det var jag! Och det kan han ju inte gissa! Jag tror aldrig heller han är angelägen få veta det!

Fröken   Jag skall resa, om ni följer med!

Jean   Är ni rasande, människa? Fröken Julie skulle rymma med sin betjänt! Det stode i tidningarna i övermorgon och det överlevde aldrig greven!

Fröken   Jag kan inte resa! Jag kan inte stanna! Hjälp mig! Jag är så trött, så gränslöst trött. — Befall mig! Sätt mig i rörelse, för jag kan inte tänka mer, inte handla mer ...!

Jean   Ser ni nu sådant kräk ni är! Varför borstar ni opp er och sätter näsan i vädret som om ni skulle vara skapelsens herrar! Nå: jag skall befalla er! Gå opp och kläd er; förse er med respengar och kom så ner!

Fröken (halvhögt) Följ med opp!

Jean På ert rum? — Nu är ni galen igen! *(Tvekar ett ögonblick.)* Nej! Gå, genast! *(Tar hennes hand och leder henne ut.)*

Fröken (i det hon går) Tala då vänligt till mig, Jean!

Jean En befallning låter alltid ovänlig; känn på! känn på! *(Jean ensam; drar en suck av lättnad; sätter sig vid bordet; tar fram en annotationsbok och penna; räknar högt då och då; stumt minspel, tills Kristin kommer in kyrkklädd, med en nattkappa och en vit halsduk i handen.)*

Kristin Herre Jesus, vad här ser ut! Vad har ni tagit er till för slag?

Jean Ah, det är fröken som dragit in folket. Har du sovit så hårt, att du inte hört något?

Kristin Jag har sovit som en stock!

Jean Och körkklädd redan?

Kristin Jaa! Han har ju lovat att följa med mig till skrift i dag!

Jean Ja, det var ju så sant det! — Och där har du skruden! Så kom då! *(Sätter sig, Kristin börjar klä på honom nattkappan och vita halsduken. Paus. Jean sömnigt.)* Vad är det för evangelium i dag?

Kristin Det är väl om Johannes Döparen halshugges, kan jag tänka!

Jean Det blir nog fasligt långt det där! — Aj, du stryper mig! — O, jag är så sömnig, så sömnig!

Kristin Ja, vad har han gjort oppe hela natten; han är ju alldeles grön i ansiktet?

135

Jean   Jag har suttit här och pratat med fröken Julie.

Kristin   Den vet då inte vad som passar sig, den människan! *(Paus.)*

Jean   Hör du Kristin, du!

Kristin   Nåå?

Jean   Det är underligt i alla fall när man tänker efter. — Hon!

Kristin   Vad är det som är så underligt?

Jean   Alltihop!

   (Paus.)

Kristin (ser på glasen, som stå halvtömda på bordet) Har ni druckit också tillsammans?

Jean   Ja!

Kristin   Fy! — Se mig i ögonen!

Jean   Ja!

Kristin   Är det möjligt? *Är* det möjligt?

Jean (efter betänkande)   Ja! Det är det!

Kristin   Usch! Det hade jag ändå aldrig kunnat tro! Nej, fy! Fy!

Jean   Du är väl inte svartsjuk på henne?

Kristin   Nej, inte på henne! Om det hade varit Clara eller Sofi; då hade jag rivit ut ögonen på dig! — Ja, det är så nu en gång; varför det vet jag inte. — Nej, det var otäckt!

Jean   Är du ond på henne, då!

Kristin   Nej, men på honom! Det var illa gjort, mycket illa. Stackars flicka! — Nej, vet någon! Jag vill inte vara här i huset längre; när man inte kan ha respekt för sitt husbondfolk.

Jean   Varför skall man ha respekt för dem?

Kristin   Ja säg det, han som är så knipslug! Men inte vill han tjäna åt folk som bär sig oanständigt åt? Va? Man skämmer ut sig själv med det, tycker jag.

Jean   Ja, men det är ju en tröst för oss att de andra inte äro en bit bättre än vi!

Kristin   Nej, det tycker jag inte; för äro inte de bättre, så är det ingenting att sträva efter att bli bättre folk. — Och tänk på greven! Tänk på honom, som har haft så mycken sorg i sin dar! Nej, jag vill inte vara här i huset mer! — Och med en sån där som han! Om det hade varit kronofogden; om det hade varit en bättre karl ...

Jean   Vad för slag?

Kristin   Jaja! Han är nog bra för sig, men det är skillnad på folk och folk i alla fall. — Nej, detta kan jag aldrig förgäta. — Fröken som var så stolt, så frän mot manfolk, så man aldrig ville tro att hon skulle gå sta och ge sig — — — och åt en sådan! Hon som höll på att låta skjuta Diana stackare för att hon sprang efter grindstugans mops! — Ja, jag säger det! — Men här vill jag inte vara längre, och till tjugufjärde oktober går jag min väg.

Jean   Och sedan?

Kristin   Ja, efter vi kommit på tal om det, så vore på tiden att han såg sig om efter något, efter som vi ju ändå ska gifta oss.

Jean   Ja, vad skulle jag se mig om efter? En sån här plats kan jag inte få som gift.

Kristin Nej, det förstår sig! Och han kan väl ta en portvaktarsyssla eller söka sig in som vaktmästare i något verk. Kronans kaka är knapp, men den är säker, och så får hustru och barn pension . . .

Jean (med en grimas) Det är mycket bra det där, men inte är det i min genre att så straxt börja tänka på att dö för hustru och barn. Jag får erkänna att jag verkligen hade lite högre vyer.

Kristin Hans vyer, ja! han har skyldigheter också! Tänk på dem, han!

Jean Du ska inte reta mig med att tala om skyldigheter, jag vet nog vad jag har att göra ändå! *(Lyss utåt.)* Det här ha vi emellertid god tid att fundera över. Gå nu in och gör dig i ordning, så gå vi till körkan.

Kristin Vem är det som vandrar däroppe?

Jean Jag vet inte jag, om inte det är Clara.

Kristin (går) Det kan väl aldrig vara greven heller, som kommit hem så ingen hört honom.

Jean (rädd) Greven? Nej, det kan jag aldrig tro, för då skulle han nog ha ringt.

Kristin (går) Ja, Gud hjälpe oss! Aldrig har jag varit med om slikt.

(Solen har nu gått upp och lyser på parkens trädtoppar; skenet flyttar sig småningom, tills det snett faller in genom fönsterna.)

(Jean går till dörren och ger ett tecken.)

Fröken (in resklädd med en liten fågelbur, höljd av en

handduk, och vilken hon ställer på en stol) Nu är
jag färdig.

Jean Tyst! Kristin är vaken!

Fröken *(ytterligt nervöst det följande)* Misstänkte hon
någonting?

Jean Hon vet ingenting alls! Men min Gud, så ni ser ut!

Fröken Hur? Ser jag ut?

Jean Ni är blek som ett lik och — förlåt, men ni är
smutsig i ansiktet.

Fröken Låt mig tvätta mig då! — Så *(Hon går till hand-
fatet och tvättar ansikte och händer.)* Ge mig en hand-
duk! — A det är solen som går opp!

Jean Och då spricker trollet!

Fröken Ja, det är trollen som varit ute i natt! — Men,
Jean, hör på! Följ med, för nu har jag medel!

Jean *(tvekande)* Tillräckligt?

Fröken Tillräckligt att börja med! Följ mig, för jag
kan inte resa ensam i dag. Tänk, midsommardagen,
på ett kvalmigt tåg, inpackad bland massor av folk,
som ska gapa på en; stå stilla på stationerna, när man
ville flyga. Nej, jag kan inte, jag kan inte! Och så
komma minnena; barndomens minnen av midsom-
mardagar med den lövade kyrkan — björklöv och
syrener; middagen med det dukade bordet, släktingar-
na, vännerna; eftermiddagen i parken, dans, musik,
blommor och lekar! A! man flyr, flyr, men minnena
följa på packvagnen, och ångern och samvetskvalen!

Jean Jag ska följa er — men nu genast, innan det blir
för sent. Nu på ögonblicket!

Fröken Så kläd på er då! *(Tar fågelburen.)*

Jean Men intet bagage! Då äro vi röjda!

Fröken Nej, ingenting! Bara det man kan ha i kupén.

Jean (har tagit sin hatt) Vad har ni där för slag? Vad är det?

Fröken Det är bara min grönsiska! Den vill jag inte lämna!

Jean Se så där ja! Ska vi nu ha fågelbur med! Ni är ju rasande! Släpp buren!

Fröken Mitt enda jag tar med mig från hemmet; den enda levande varelse som håller av mig, sedan Diana blev mig otrogen! Var inte grym! Låt mig få ta den med!

Jean Släpp buren, säger jag — och tala inte så högt — Kristin hör oss!

Fröken Nej, jag lämnar den inte i främmande händer. Döda den då hellre!

Jean Ta hit kräket då, så ska jag nacka den!

Fröken Ja, men inte göra den illa! Inte ... nej, jag kan inte!

Jean Tag hit; jag kan jag!

Fröken (tar ut fågeln ur buren och kysser den) Å, min lilla Serine, ska du dö ifrån din matmor nu?

Jean Var god och gör inga scener; det gäller ju ert liv, er välfärd! Så, fort! *(Rycker fågeln av henne; bär till huggkubben och tar köksyxan.)*

(Fröken vänder sig bort.)

Jean Ni skulle ha lärt er slakta kycklingar i stället för att skjuta med revolver — *(Hugger till)* — så skulle ni inte dånat för en blodsdroppe!

Fröken (skriker) Döda mig också! Döda mig! Ni som kan slakta ett oskyldigt djur utan att darra på handen. O, jag hatar och avskyr er; det är blod emellan oss! Jag förbannar den stund jag såg er, jag förbannar den stund jag föddes i min moders liv!

Jean Ja, vad hjälper det att ni bannar! Gå!

Fröken (närmar sig huggkubben, liksom dragen dit mot sin vilja) Nej, jag vill inte gå ännu; jag kan inte ... jag måste se ... tyst! det kör en vagn därute — *(Lyss utåt, allt under det hon håller ögonen fästa på kubben och yxan.)* Tror ni inte att jag kan se blod! Tror ni att jag är så svag ... å — jag skulle vilja se ditt blod, din hjärna på en träkubbe — jag skulle vilja se hela ditt kön simma i en sjö som den där ... jag tror jag skulle kunna dricka ur din huvudskål, jag skulle vilja bada mina fötter i din bröstkorg och jag skulle kunna äta ditt hjärta helstekt! — Du tror att jag är svag; du tror att jag älskar dig, därför att min livsfrukt åtrådde ditt frö; du tror att jag vill bära din avföda under mitt hjärta och nära den med mitt blod — föda ditt barn och ta ditt namn! Hör du, vad heter du? jag har aldrig hört ditt tillnamn — du har väl inte något kan jag tro. Jag skulle bli fru "Grindstugan" — eller madam "Sopbacken" — du hund, som bär mitt halsband, du dräng, som bär mitt bomärke i dina knappar — jag dela med min köksa, rivalisera med min piga! A! å! å! — Du tror att jag är feg och vill fly! Nej, nu stannar jag — och så må åskan gå. Min far kommer hem ... finner sin chiffonjé uppbruten... sina pengar borta! Så ringer han — på den där klockan... två tag efter betjänten — och så skickar han efter länsman... och så talar jag om allt! Allt! Å, det skall bli skönt att få ett slut — bara det ville bli slut! — Och så får han slag och dör!... Så bli vi slut allihop — — och så blir det lugn... ro!... evig vila! — — — Och så krossas vapnet mot likkistan. — grevsläkten är slocknad — och betjäntätten fortsätter på ett barnhus... vinner lagrarne i en rännsten och slutar i ett fängelse!

Jean Nu är det kungablodet som talar! Bra, fröken Julie! Stoppa nu mjölnarn i säcken bara!

(Kristin in kyrkklädd med psalmbok i handen.)

Fröken (skyndar emot henne och faller i hennes armar, liksom för att söka skydd) Hjälp mig, Kristin! Hjälp mig mot denne man!

Kristin (orörlig och kall) Vad är det nu för spektakel på helgdagsmorgon! *(Ser på huggkubben.)* Och så ni svinat till här! — Vad vill det här betyda? Och så ni skriker och väsnas!

Fröken Kristin! Du är en kvinna och du är min vän! Akta dig för denna usling!

Jean (litet skygg och förlägen) Medan damerna resonera, så går jag in och rakar mig! *(Glider ut till höger.)*

Fröken Du skall förstå mig; och du skall höra på mig!

Kristin Nej, jag förstår mig verkligen inte på såna här slinkerier! Vart ska hon ta vägen så här resklädd - och han står med hatten på — va? — va? —

Fröken Hör mig, Kristin; hör på mig, så skall jag tala

om allt — — --

Kristin   Jag vill inte veta någonting ...

Fröken   Du måste höra på mig ...

Kristin   Vad är det om? Är det om dumheterna med
Jean! Ja si det bryr jag mig inte alls om, för det läg-
ger jag mig inte i. Men tänker hon narra honom att
schappa, så ska vi sätta p för det!

Fröken (ytterligt nervös) Försök nu att vara lugn
Kristin och hör på mig! Jag kan inte stanna här och
Jean kan inte stanna här — vi måste således resa ...

Kristin   Hm, hm!

Fröken (ljusnar) Men ser du, nu fick jag en idé — om
vi skulle resa alla tre — utomlands — till Schweiz och
sätta opp ett hotell tillsammans. — — Jag har pengar,
ser du — — och Jean och jag skulle stå för det hela
— och du, hade jag tänkt, skulle ta köket ... Blir
det inte bra! — — — Säg ja nu! Och kom med oss,
så är allting arrangerat! — — — Säg ja! då! *(Om-
famnar Kristin och klappar henne.)*

Kristin (kall och eftertänksam)   Hm, hm!

Fröken (presto tempo) Du har aldrig varit ute och rest,
Kristin — du ska ut och se dig om i världen. Du kan
aldrig tro så roligt det är att resa på tåg — nya män-
niskor oupphörligt — — nya länder — och så kommer
vi till Hamburg och ser på zoologiska trägårn i förbi-
farten — det tycker du om — och så gå vi i teatern
och hör på operan — och när vi kommer till München,
så ha vi museerne, du, och där är Rubens och Rafael,
de där stora målarne som du vet — — Du har ju hört

talas om München där kung Ludvig bodde — kungen, vet jag, som blev vansinnig. — — Och så ska vi se hans slott — han har slott ännu, som äro inredda alldeles som i sagorna — och därifrån är inte långt till Schweiz — med Alperna du — tänk Alperna med snö på mitt i sommarn — och där växer det apelsiner och lagrar, som äro gröna hela året om — — —

(Jean syns i högra kulissen, strykande sin rakkniv på en rem, som han håller med tänderna och vänstra handen; lyss förnöjd på samtalet och nickar bifall då och då.)

Fröken *(tempo prestissimo)* — Och där ta vi ett hotell — och jag sitter vid kassan, medan Jean står och tar emot de resande ... går ut och handlar ... skriver brev — — — Det blir ett liv, må du tro — så blåser tåget, så kommer omnibussen, så ringer det i våningen, så ringer det i restaurangen — och så skriver jag ut räkningarne — och jag kan salta dem jag ... Du kan aldrig tro så blyga de resande är, när de ska betala räkningen! — Och du — du sitter som hovmästarinnan i köket. — Du ska naturligtvis inte stå vid spisen själv — och du får lov att gå fint och nätt klädd, när du ska visa dig för folk — och du med ditt utseende — ja jag smickrar dig inte — du kan nog knipa dig en man en vacker dag! en rik engelsman, ser du — — det folket är så lätt att — *(saktar av)* — fånga — — — och så blir vi rika — och bygger oss en villa vid Comosjön — det regnar visserligen lite ibland där — men — *(domnar av)* — solen skall väl skina också någon gång — — — fastän det ser mörkt ut — — — och — så — annars kan vi ju resa hem igen — och komma tillbaka — *(Paus.)* — — — hit — eller någon annan stans — — —

Kristin Hör nu! Tror fröken själv på det där?

Fröken (tillintetgjord) Om jag tror på det själv?

Kristin Ja!

Fröken (trött) Jag vet inte; jag tror inte på någonting mer. *(Hon faller ner på bänken; lägger huvudet mellan armarne på bordet.)* Ingenting! Ingenting alls!

Kristin (vänder sig åt höger där Jean står) Jaså, han tänkte rymma!

Jean (snopen, lägger ifrån sig rakkniven på bordet) Rymma? Det är nu för mycket sagt! Du hörde ju frökens projekt, och fastän hon är trött nu efter nattvaket, kan det projektet mycket väl utföras!

Kristin Hör nu han! Var det meningen att jag skulle bli köksa hos den där . . .

Jean (skarpt) Var så god och begagna ett städat språk, när du talar vid din matmor! Förstår du det?

Kristin Matmor!

Jean Ja!

Kristin Nej hör! Hör på den!

Jean Ja, hör på du, det kan du behöva, och prata lite mindre! Fröken Julie är din matmor, och för samma sak som du missaktar henne nu, borde du missakta dig själv!

Kristin Jag har alltid haft så mycket aktning för mig själv — — —

Jean — att du kunnat missakta andra! —

Kristin — så att jag aldrig sänkt mig under mitt stånd. Kom och säg att grevens kokerska haft något med ryktarn eller svindrängen! Kom och säg det!

Jean Ja, du har fått att göra med en fin karl, det är tur för dig!

Kristin Jo, det är en fin karl som säljer grevens havra från stallet — — —

Jean Det ska du tala om, som tar procent på kryddbovarorna och låter muta dig av slaktarn!

Kristin Vad för slag?

Jean Och du kan inte ha respekt för ditt herrskap längre! Du, du, du!

Kristin Kommer han med nu till körkan? Han kan behöva en god predikan på sin bragd!

Jean Nej, jag går inte i körkan i dag; du får gå ensam och skrifta dina bedrifter!

Kristin Ja, det skall jag göra, och jag skall komma hem med förlåtelse, så att det räcker åt honom med! Frälsarn har lidit och dött på korset för alla våra synder, och om vi nalkas honom med tro och botfärdigt sinne, så tar han all vår skuld på sig.

Jean Också kryddbosynderna?

Fröken Tror du det, Kristin?

Kristin Det är min levande tro, så sant jag står här, och det är min barnatro, som jag bevarat från ungdomen, fröken Julie. Och där synden överflödar, där överflödar nåden!

Fröken Ack, om jag hade din tro! Ack, om . . .

Kristin Ja, men si, den kan man inte få, utan Guds särskilda nåd, och det är inte allom givet att få den — — —

Fröken Vilka få den då?

Kristin Det är nådaverkets stora hemlighet det, ser fröken, och Gud har inte anseende till personen, utan där skola de yttersta vara de främsta ...

Fröken Ja, men då har han ju anseende till de yttersta?

Kristin (fortsätter) — och det är lättare för en kamel att gå genom ett nålsöga än för en rik att komma in i Guds rike! Si, så är det, fröken Julie! Nu går jag emellertid — ensam, och i förbigående ska jag säga åt stalldrängen att han inte lämnar ut några hästar, i fall någon skulle vilja resa innan greven kommer hem! — Adjö! *(Går.)*

Jean En sådan djävul! — Och allt detta för en grönsiskas skull! —

Fröken (slö) Låt grönsiskan vara! — — Ser ni någon utväg, ur detta, något slut på detta?

Jean (funderar) Nej!

Fröken Vad skulle ni göra i mitt ställe?

Jean I ert? Vänta nu? — Som välboren, som kvinna, som — sjunken. Jag vet inte — jo! nu vet jag!

Fröken (tar rakkniven och gör en gest) Så här?

Jean Ja! — Men *jag* skulle icke göra det — märk det! för det är skillnad på oss!

Fröken Därför att ni är man och jag är kvinna? Vad är det då för skillnad?

Jean Samma skillnad — som — mellan man och kvinna!

147

Fröken (med kniven i hand)   Jag vill det! Men jag kan det inte! — Min far kunde det inte heller, den gången då han skulle ha gjort det.

Jean   Nej, han skulle icke ha gjort det! Han måste hämnas först!

Fröken   Och nu hämnas min mor igen, genom mig.

Jean   Har ni inte älskat er far, fröken Julie?

Fröken   Jo, gränslöst, men jag har visst hatat honom också! Jag måtte ha gjort det utan att jag märkt det! Men det är han som uppfostrat mig till förakt för mitt eget kön, till halvkvinna och halvman! Vems är skulden till vad som skett! Min fars, min mors, mitt eget! Mitt eget? Jag har ju intet eget? Jag har inte en tanke som jag inte fått av min far, inte en passion som jag inte fått av min mor, och det sista — det där om att alla människor äro lika — det fick jag av honom, min trolovade — som jag därför kallar usling! Hur kan det vara mitt eget fel? Skjuta skulden på Jesus, som Kristin gjorde — nej, det är jag för stolt till och för klok — tack vare min fars lärdomar — — — Och att en rik inte kan komma in i himmelen, det är lögn, och Kristin, som har pengar på sparbanken, kommer åtminstone inte dit! Vems är felet? -- Vad rör det oss vems felet är! Det är ändå jag som får bära skulden, bära följderna ...

Jean   Ja, men — — —

(Det ringer två skarpa slag i klockan. Fröken störtar upp; Jean byter om rock.)

Jean   Greven är hemma! Tänk om Kristin — — — (Går

till talröret; knackar och lyss.)

Fröken Nu har han varit i chiffonjén?

Jean Det är Jean! herr greve! *(Lyss. Obs. åskådaren hör icke vad greven talar.)* Ja, herr greven! *(Lyss.)* Ja, herr greven! Strax! *(Lyss.)* Genast, herr greven! *(Lyss.)* Jaha! Om en halv timme!

Fröken *(ytterligt ängslig)* Vad sa han? Herre Jesus, vad sa han?

Jean Han begärde sina stövlar och sitt kaffe om en halv timme.

Fröken Alltså om en halv timme! Å, jag är så trött; jag förmår ingenting, förmår inte ångra mig, inte fly, inte stanna, inte leva — inte dö! Hjälp mig nu! Befall mig, och jag ska lyda som en hund! Gör mig den sista tjänsten, rädda min ära, rädda hans namn! Ni vet vad jag *skulle* vilja, men inte vill ... Vill det, ni, och befall mig utföra det!

Jean Jag vet inte — men nu kan jag inte heller — jag förstår inte — Det är alldeles som om den här rocken gjorde att — jag inte kan befalla över er — och nu, sen greven talte till mig — så — jag kan inte redogöra för det riktigt — men — ah, det är den djävla drängen som sitter i ryggen på mig! — jag tror att om greven kom ner nu — och befallde mig skära halsen av mig, så skulle jag göra det på stället.

Fröken Låtsas då att ni är han, och jag är ni! — ni kunde ju spela nyss så bra, när ni låg på knä — då var ni adelsmannen — eller — har ni aldrig varit på teatern och sett magnetisören? *(Jakande gest av Jean.)*

Han säger åt subjektet: tag kvasten; han tar den; han säger: sopa, och den sopar — — —

Jean Då måste ju den andra sova!

Fröken (extatisk) Jag sover redan — hela rummet står som en rök för mig... och ni ser ut som en järnkamin ... som liknar en svartklädd man i hög hatt — och era ögon lysa som kolen, när elden går ut — och ert ansikte är en vit fläck som falaskan — *(Solskenet har nu fallit in på golvet och lyser på Jean)* — Det är så varmt och gott — *(Hon gnuggar händerna som om hon värmde dem framför en eld)* — och så ljust — och så lugnt!

Jean (tar rakkniven och sätter i hennes hand) Där är kvasten! Gå nu medan det är ljust — ut på logen — och ... *(Viskar i hennes öra.)*

Fröken (vaken) Tack! Nu går jag till vila! Men säg nu bara — att de främsta också kunna få nådens gåva. Säg det, om ni också inte tror det.

Jean De främsta? Nej, det kan jag inte! — Men vänta — fröken Julie — nu vet jag! Ni är ju icke längre bland de främsta — då ni är bland de — yttersta!

Fröken Det är sant. — Jag är bland de allra yttersta; jag är den yttersta! Å! — Men nu kan jag icke gå — Säg en gång till att jag skall gå!

Jean Nej, nu kan inte jag heller. Jag kan inte!

Fröken Och de främsta skola vara de yttersta!

Jean Tänk inte, tänk inte! Ni tar ju all min kraft från mig också, så att jag blir feg — — — Vad! jag tyckte klockan rörde sig! — Nej! Ska vi sätta papper i den!

— — Att vara så rädd för en ringklocka! Ja, men det är inte bara en klocka — det sitter någon bakom den — en hand som sätter den i rörelse — och något annat sätter handen i rörelse — men håll för örona bara — håll för örona! Ja, så ringer han ändå värre! ringer bara ända tills man svarar — och då är det för sent! och så kommer länsman — och så — — — *(Två starka ringningar i klockan. Jean far tillsammans; därpå rätar han upp sig.)* Det är rysligt! Men det finns intet annat slut! — Gå!

(Fröken går bestämt ut genom dörren.)